খেয়া

রবীন্দ্রনাথ ঠাকুর

বিশ্বভারতী

প্রকাশ ১৩১৩
পুনর্মুদ্রণ ১৩২৮, ১৩৩৫, ১৩৪৮
আষাঢ় ১৩৫৩, ভাদ্র ১৩৫৮, মাঘ ১৩৫৯, শ্রাবণ ১৩৬১, শ্রাবণ ১৩৬৩
আষাঢ় ১৩৬৮, শ্রাবণ ১৩৭০, জ্যৈষ্ঠ ১৩৭৩
জ্যৈষ্ঠ ১৩৭৬, জ্যৈষ্ঠ ১৩৮৪, চৈত্র ১৩৯২
পৌষ ১৪০১, আশ্বিন ১৪১৬
ফাল্গুন ১৪২৬

মূল্য : Rs 195.00

ISBN 978-81-7522-488-9

প্রকাশক অমৃত সেন
বিশ্বভারতী গ্রন্থনবিভাগ। ৬ আচার্য জগদীশচন্দ্র বসু রোড। কলকাতা ১৭
মুদ্রক সত্যযুগ এমপ্লয়িজ কো-অপারেটিভ ইন্ডাস্ট্রিয়াল সোসাইটি লিমিটেড
১৩ প্রফুল্ল সরকার স্ট্রিট। কলকাতা ৭২

শিরোনামসূচী

উৎসর্গ	•	৯
অনাবশ্যক	•	৪৯
অনাহত	•	৪২
অনুমান	•	১৩৬
অবারিত	•	৫১
আগমন	•	২৩
কুয়ার ধারে	•	৬৯
কৃপণ	•	৬৬
কোকিল	•	১০৯
খেয়া	•	১৫২
গান শোনা	•	১২০
গোধূলিলগ্ন	•	৫৫
ঘাটে	•	১৯
ঘাটের পথ	•	১৫
চাঞ্চল্য	•	১৩০
জাগরণ	•	৭১
জাগরণ	•	১২৪
ঝড়	•	১১৫
টীকা	•	৯১
ত্যাগ	•	২১
দান	•	৩৪

দিঘি	•	১১২
দিনশেষ	•	১০৫
দুঃখমূর্তি	•	২৭
নিরুদ্যম	•	৬২
নীড় ও আকাশ	•	১০১
পথিক	•	৮০
পথের শেষ	•	৯৮
প্রচ্ছন্ন	•	১৩৩
প্রতীক্ষা	•	১১৮
প্রভাতে	•	৩১
প্রার্থনা	•	১৫০
ফুল ফোটানো	•	৭৪
বন্দী	•	৭৮
বর্ষাপ্রভাত	•	১৩৮
বর্ষাসন্ধ্যা	•	১৪১
বাঁশি	•	৪৬
বালিকাবধূ	•	৩৮
বিকাশ	•	৮৭
বিচ্ছেদ	•	৮৫
বিদায়	•	৯৬
বৈশাখে	•	৯৩
ভার	•	৮৯
মিলন	•	৮৩

মুক্তিপাশ	•	২৮
মেঘ	•	৬০
লীলা	•	৫৮
শুভক্ষণ	•	২০
শেষ খেয়া	•	১৩
সব-পেয়েছি'র দেশ	•	১৪৪
সমাপ্তি	•	১০৭
সমুদ্রে	•	১০৩
সার্থক নৈরাশ্য	•	১৪৭
সীমা	•	৮৮
হার	•	৭৬
হারাধন	•	১২৮

প্রথম ছত্রের সূচী

আকাশ ভেঙে বৃষ্টি পড়ে	১১৫
আজ পুরবে প্রথম নয়ন মেলিতে	৯১
আজ বিকালে কোকিল ডাকে	১০৯
আজ বুকের বসন ছিঁড়ে ফেলে	৮৭
আদি অন্ত হারিয়ে ফেলে	৬০
আমায় অমনি খুশি করে রাখো	১৪১
আমার এ গান শুনবে তুমি যদি	১২০
আমার গোধূলিলগন এল বুঝি কাছে	৫৫
আমার নাই-বা হল পারে যাওয়া	১৯
আমি এখন সময় করেছি	১১৮
আমি কেমন করিয়া জানাব আমার	৮৩
আমি বিকাব না কিছুতে আর	১৫০
আমি ভিক্ষা করে ফিরতেছিলাম	৬৬
আমি শরৎশেষের মেঘের মতো	৫৮
এক রজনীর বরষনে শুধু	৩১
ওই তোমার ওই বাঁশিখানি	৪৬
ওগো, এমন সোনার মায়াখানি	১৩৮
ওগো, তোরা বল্ তো এরে	৫১
ওগো, নিশীথে কখন এসেছিলে তুমি	২৮
ওগো বর, ওগো বঁধু	৩৮
ওগো মা, রাজার দুলাল গেল চলি মোর	২১

ওগো মা,   রাজার দুলাল যাবে আজি মোর ২০
ওরা   চলেছে দিঘির ধারে ১৫
কাশের বনে শূন্য নদীর তীরে ৪৯
কৃষ্ণপক্ষে আধখানা চাঁদ ১২৪
কোথা   ছায়ার কোণে দাঁড়িয়ে তুমি ১৩৩
জুড়ালো রে দিনের দাহ, ফুরালো সব কাজ ১১২
তখন   আকাশতলে ঢেউ তুলেছে ৬২
তখন ছিল যে গভীর রাত্রিবেলা ১৪৭
তখন রাত্রি আঁধার হল ২৩
তপ্ত হাওয়া দিয়েছে আজ ৯৩
তুমি   এ পার ও পার কর কে গো ১৫২
তুমি যত ভার দিয়েছ সে ভার ৮৯
তোমার কাছে চাই নি কিছু ৬৯
তোমার বীণার সাথে আমি ৮৫
তোরা কেউ   পারবি নে গো ৭৪
দাঁড়িয়ে আছ আধেক-খোলা বাতায়নের ধারে ৪২
দিনের শেষে ঘুমের দেশে ঘোমটা-পরা ওই ছায়া ১৩
দুখের বেশে এসেছ ব'লে তোমারে নাহি ডরিব হে ২৭
নিশ্বাস রুধে দু চক্ষু মুদে ১৩০
নীড়ে ব'লে গেঁয়েছিলেম ১০১
পথ চেয়ে তো কাটল নিশি ৭১
পথিক, ওগো পথিক, যাবে তুমি ৮০
পথের নেশা আমায় লেগেছিল ৯৮

পাছে দেখি তুমি আস নি তাই	১৩৬
বন্দী, তোরে কে বেঁধেছে	৭৮
বন্ধ হয়ে এল স্রোতের ধারা	১৩৭
বন্ধু এ যে আমার লজ্জাবতী লতা	৯
বিদায় দেহো, ক্ষম আমার ভাই	৯৬
বিধি যে দিন ক্ষান্ত দিলেন	১২৮
ভাঙা অতিথশালা	১০৫
ভেবেছিলাম চেয়ে নেব	৩৪
মোদের হারের দলে বসিয়ে দিলে	৭৬
সকাল-বেলার ঘাটে যে দিন	১০৩
সব-পেয়েছি'র দেশে কারো	১৪৪
সেটুকু তোর অনেক আছে	৮৮

উৎসর্গ

বিজ্ঞানাচার্য শ্রীযুক্ত জগদীশচন্দ্র বসু

করকমলেষু

বন্ধু, এ যে আমার লজ্জাবতী লতা।
কী পেয়েছে আকাশ হতে,
কী এসেছে বায়ুর স্রোতে,
পাতার ভাঁজে লুকিয়ে আছে
সে যে প্রাণের কথা।
যত্নভরে খুঁজে খুঁজে
তোমায় নিতে হবে বুঝে,
ভেঙে দিতে হবে যে তার
নীরব ব্যাকুলতা।
আমার লজ্জাবতী লতা।

বন্ধু,   সন্ধ্যা এল, স্বপন-ভরা
পবন এসে চুমে।
ডালগুলি সব পাতা নিয়ে
জড়িয়ে এল ঘুমে।
ফুলগুলি সব নীল নয়ানে
চুপি চুপি আকাশ-পানে
তারার দিকে চেয়ে চেয়ে
কোন্ ধেয়ানে রতা।
আমার   লজ্জাবতী লতা।

বন্ধু,   আনো তোমার তড়িৎ-পরশ
হরষ দিয়ে দাও—
করুণ চক্ষু মেলে ইহার
মর্ম পানে চাও।
সারাদিনের গন্ধগীতি
সারাদিনের আলোর স্মৃতি
নিয়ে এ যে হৃদয়-ভারে
ধরায় অবনতা।
আমার   লজ্জাবতী লতা।

বন্ধু,   তুমি জান ক্ষুদ্র যাহা
ক্ষুদ্র তাহা নয়—

সত্য যেথা কিছু আছে
বিশ্ব সেথা রয়।
এই-যে মুদে আছে লাজে
পড়বে তুমি এরই মাঝে
জীবন-মৃত্যু রৌদ্র-ছায়া
ঝটিকার বারতা।
আমার লজ্জাবতী লতা।

কলিকাতা
১৮ আষাঢ় ১৩১৩

শেষ খেয়া

দিনের শেষে ঘুমের দেশে ঘোমটা-পরা ওই ছায়া
ভুলালো রে ভুলালো মোর প্রাণ।
ও পারেতে সোনার কূলে আঁধার মূলে কোন্ মায়া
গেয়ে গেল কাজ-ভাঙানো গান।
নামিয়ে মুখ চুকিয়ে সুখ যাবার মুখে যায় যারা
ফেরার পথে ফিরেও নাহি চায়,
তাদের পানে ভাঁটার টানে যাব রে আজ ঘর-ছাড়া—
সন্ধ্যা আসে, দিন যে চলে যায়।
ওরে আয়,
আমায় নিয়ে যাবি কে রে
দিনশেষের শেষ খেয়ায়।

সাঁঝের বেলা ভাঁটার স্রোতে ও পার হতে এক-টানা
একটি দুটি যায় যে তরী ভেসে—
কেমন করে চিনব, ওরে, ওদের মাঝে কোন্‌খানা
আমার ঘাটে ছিল আমার দেশে।

অস্তাচলে তীরের তলে ঘন গাছের কোল ঘেঁষে
ছায়ায় যে ছায়ার মতো যায়—
ডাকলে আমি ক্ষণেক থামি হেথায় পাড়ি ধরবে সে
এমন নেয়ে আছে রে কোন্ নায় !
ওরে আয়,
আমায় নিয়ে যাবি কে রে
দিনশেষের শেষ খেয়ায় ।

ঘরেই যারা যাবার তারা কখন গেছে ঘর-পানে,
পারে যারা যাবার গেছে পারে ।
ঘরেও নহে, পারেও নহে, যে জন আছে মাঝখানে
সন্ধ্যাবেলা কে ডেকে নেয় তারে ।
ফুলের বার নাইক আর, ফসল যার ফলল না,
চোখের জল ফেলতে হাসি পায়—
দিনের আলো যার ফুরালো, সাঁজের আলো জ্বলল না,
সেই বসেছে ঘাটের কিনারায় !
ওরে আয়,
আমায় নিয়ে যাবি কে রে
বেলাশেষের শেষ খেয়ায় ।

আষাঢ় ১৩১২

ঘাটের পথ

ওরা চলেছে দিঘির ধারে।
ওই শোনা যায় বেণুবনছায়
কঙ্কণঝংকারে।
আমার চুকেছে দিবসের কাজ ;
শেষ হয়ে গেছে জল ভরা আজ—
দাঁড়ায়ে রয়েছি দ্বারে।
ওরা চলেছে দিঘির ধারে।

আমি কোন্ ছলে যাব ঘাটে—
শাখা-থরোথরো পাতা-মরোমরো
ছায়া-সুশীতল বাটে ?
বেলা বেশি নাই, দিন হল শোধ—
ছায়া বেড়ে যায়, পড়ে আসে রোদ—
এ বেলা কেমনে কাটে ?
আমি কোন্ ছলে যাব ঘাটে ?

ওগো   কী আমি কহিব আর!
ভাবিস নে কেহ ভয় করি আমি
ভরা কলসের ভার।
যা হোক তা হোক এই ভালোবাসি—
বহে নিয়ে যাই, ভরে নিয়ে আসি
কত দিন কতবার।
ওগো,   আমি কী কহিব আর!

এ কি   শুধু জল নিয়ে আসা?
এই আনাগোনা কিসের লাগি যে
কী কব, কী আছে ভাষা!
কত-না দিনের আঁধারে আলোতে
বহিয়া এনেছি এই বাঁকা পথে
কত কাঁদা, কত হাসা।
এ কি   শুধু জল নিয়ে আসা!

আমি   ডরি নাই ঝড় জল,
উড়েছে আকাশে উতলা বাতাসে
উদ্দাম অঞ্চল।
বেণুশাখা-'পরে বারি ঝরোঝরে,
এ কূলে ও কূলে কালো ছায়া পড়ে,

পথঘাট পিচ্ছল।
আমি ডরি নাই ঝড় জল।

আমি গিয়েছি আঁধার সাঁজে।
শিহরি শিহরি উঠে পল্লব
নির্জন বন-মাঝে।
বাতাস থমকে, জোনাকি চমকে,
ঝিল্লির সাথে ঝমকে ঝমকে
চরণে ভূষণ বাজে।
আমি গিয়েছি আঁধার সাঁজে।

যবে বুকে ভরি উঠে ব্যথা,
ঘরের ভিতরে না দেয় থাকিতে
অকারণ আকুলতা।
আপনার মনে একা পথে চলি,
কাঁখের কলসী বলে ছলোছলি
জলভরা কলকথা—
যবে বুকে ভরি উঠে ব্যথা।

ওগো দিনে কতবার ক'রে
ঘর-বাহিরের মাঝখানে রহি
ওই পথ ডাকে মোরে।

কুসুমের বাস ধেয়ে ধেয়ে আসে,
কপোত-কূজন-করুণ আকাশে
উদাসীন মেঘ ঘোরে—
ওগো, দিনে কতবার ক'রে।

আমি বাহির হইব ব'লে
যেন সারা দিন কে বসিয়া থাকে
নীল আকাশের কোলে।
তাই কানাকানি পাতায় পাতায়,
কালো লহরীর মাথায় মাথায়
চঞ্চল আলো দোলে—
আমি বাহির হইব ব'লে!

আজ ভরা হয়ে গেছে বারি।
আঙিনার দ্বারে চাহি পথ-পানে
ঘর ছেড়ে যেতে নারি!
দিনের আলোক ম্লান হয়ে আসে,
বধূগণ ঘাটে যায় কলহাসে
কক্ষে লইয়া ঝারি।
মোর ভরা হয়ে গেছে বারি।

[ভাদ্র ১৩১২]

ঘাটে

বাউলের সুর

আমার নাই-বা হল পারে যাওয়া,
যে হাওয়াতে চলত তরী
অঙ্গেতে সেই লাগাই হাওয়া।
নেই যদি-বা জমল পাড়ি
ঘাট আছে তো বসতে পারি,
আমার আশার তরী ডুবল যদি
দেখব তোদের তরী বাওয়া।

হাতের কাছে কোলের কাছে
যা আছে সেই অনেক আছে,
আমার সারা দিনের এই কি রে কাজ
ও পার-পানে কেঁদে চাওয়া।

কম কিছু মোর থাকে হেথা
পুরিয়ে নেব প্রাণ দিয়ে তা,
আমার সেইখানেতেই কল্পলতা
যেখানে মোর দাবি-দাওয়া।

গিরিডি
২৭ ভাদ্র ১৩১২

শুভক্ষণ

ওগো মা,

রাজার দুলাল যাবে আজি মোর
ঘরের সমুখ-পথে,
আজি এ প্রভাতে গৃহকাজ লয়ে
রহিব বলো কী মতে!
বলে দে আমায় কী করিব সাজ,
কী ছাঁদে কবরী বেঁধে লব আজ,
পরিব অঙ্গে কেমন ভঙ্গে
কোন্ বরনের বাস।

মা গো, কী হল তোমার, অবাক্ নয়নে
মুখ-পানে কেন চাস্?
আমি দাঁড়াব যেথায় বাতায়নকোণে
সে চাবে না সেথা জানি তাহা মনে
ফেলিতে নিমেষ দেখা হবে শেষ,
যাবে সে সুদূর পুরে—
শুধু সঙ্গের বাঁশি কোন্ মাঠ হতে
বাজিবে ব্যাকুল সুরে।

তবু রাজার দুলাল যাবে আজি মোর
ঘরের সমুখ-পথে,
শুধু সে নিমেষ-লাগি না করিয়া বেশ
রহিব বলো কী মতে!

ত্যাগ

ওগো মা,
রাজার দুলাল গেল চলি মোর
ঘরের সমুখ-পথে,
প্রভাতের আলো ঝলিল তাহার
স্বর্ণশিখর রথে,
ঘোমটা খসায়ে বাতায়নে থেকে
নিমেষের লাগি নিয়েছি, মা, দেখে—
ছিঁড়ি মণিহার ফেলেছি তাহার
পথের ধুলার 'পরে।

মা গো, কী হল তোমার, অবাক্ নয়নে
চাহিস কিসের তরে?

মোর		হার-ছেঁড়া মণি নেয় নি কুড়ায়ে,
রথের চাকায় গেছে সে গুঁড়ায়ে,
চাকার চিহ্ন ঘরের সমুখে
পড়ে আছে শুধু আঁকা।
আমি		কী দিলেম কারে জানে না সে কেউ,
ধুলায় রহিল ঢাকা।

তবু		রাজার দুলাল গেল চলি মোর
ঘরের সমুখ-পথে—
মোর		বক্ষের মণি না ফেলিয়া দিয়া
রহিব বলো কী মতে!

বোলপুর
১৩ শ্রাবণ ১৩১২

আগমন

তখন রাত্রি আঁধার হল,
    সাঙ্গ হল কাজ—
আমরা মনে ভেবেছিলেম,
    আসবে না কেউ আজ।
        মোদের গ্রামে দুয়ার যত
        রুদ্ধ হল রাতের মতো ;
        দু-এক জনে বলেছিল,
            'আসবে মহারাজ।'
আমরা হেসে বলেছিলেম,
    'আসবে না কেউ আজ।'

দ্বারে যেন আঘাত হল
শুনেছিলেম সবে—
আমরা তখন বলেছিলেম,
'বাতাস বুঝি হবে।'
নিবিয়ে প্রদীপ ঘরে ঘরে
শুয়েছিলেম আলসভরে;
দু-এক জনে বলেছিল,
'দূত এল বা তবে!'
আমরা হেসে বলেছিলেম,
'বাতাস বুঝি হবে।'

নিশীথরাতে শোনা গেল
কিসের যেন ধ্বনি—
ঘুমের ঘোরে ভেবেছিলেম
মেঘের গরজনি।
ক্ষণে ক্ষণে চেতন করি
কাঁপল ধরা থরহরি,
দু-এক জনে বলেছিল
'চাকার ঝনঝনি'।
ঘুমের ঘোরে কহি মোরা
'মেঘের গরজনি'।

তখনো রাত আঁধার আছে,
বেজে উঠল ভেরী—
কে ফুকারে, 'জাগো সবাই,
আর কোরো না দেরি।'
বক্ষ-'পরে দু হাত চেপে
আমরা ভয়ে উঠি কেঁপে ;
দু-এক জনে কহে কানে,
'রাজার ধ্বজা হেরি।'
আমরা জেগে উঠে বলি,
'আর তবে নয় দেরি।'

কোথায় আলো, কোথায় মাল্য,
কোথায় আয়োজন !
রাজা আমার দেশে এল,
কোথায় সিংহাসন !
হায় রে ভাগ্য, হায় রে লজ্জা—
কোথায় সভা, কোথায় সজ্জা !
দু-এক জনে কহে কানে,
'বৃথা এ ক্রন্দন—
রিক্তকরে শূন্য ঘরে
করো অভ্যর্থন।'

ওরে, দুয়ার খুলে দে রে,
বাজা শঙ্খ বাজা!
গভীর রাতে এসেছে আজ
আঁধার ঘরের রাজা।
বজ্র ডাকে শূন্যতলে,
বিদ্যুতেরই ঝিলিক ঝলে,
ছিন্ন শয়ন টেনে এনে
আঙিনা তোর সাজা—
ঝড়ের সাথে হঠাৎ এল
দুঃখরাতের রাজা।

কলিকাতা
২৮ শ্রাবণ ১৩১২

দুঃখমূর্তি

দুখের বেশে এসেছ ব'লে তোমারে নাহি ডরিব হে।
যেখানে ব্যথা তোমারে সেথা নিবিড় ক'রে ধরিব হে।
আঁধারে মুখ ঢাকিলে স্বামী,
তোমারে তবু চিনিব আমি ;
মরণরূপে আসিলে প্রভু,
চরণ ধরি মরিব হে—
যেমন করে দাও-না দেখা
তোমারে নাহি ডরিব হে।

নয়নে আজি ঝরিছে জল, ঝরুক জল নয়নে হে।
বাজিছে বুকে, বাজুক তব কঠিন বাহু-বাঁধনে হে।
তুমি যে আছ বক্ষে ধ'রে
বেদনা তাহা জানাক মোরে ;
চাব না কিছু, কব না কথা,
চাহিয়া রব বদনে হে।
নয়নে আজি ঝরিছে জল,
ঝরুক জল নয়নে হে।

[মাঘ ১৩১২]

মুক্তিপাশ

ওগো, নিশীথে কখন এসেছিলে তুমি
কখন যে গেছ বিহানে
তাহা কে জানে !
আমি চরণশবদ পাই নি শুনিতে,
ছিলেম কিসের ধেয়ানে
তাহা কে জানে !
রুদ্ধ আছিল আমার এ গেহ,
কত কাল আসে যায় নাই কেহ—
তাই মনে মনে ভাবিতেছিলেম
এখনো রয়েছে যামিনী—
যেমন বন্ধ আছিল সকলি
বুঝি বা রয়েছে তেমনি।
হে মোর গোপনবিহারী,
ঘুমায়ে ছিলেম যখন, তুমি কি
গিয়েছিলে মোরে নেহারি ?

আজ নয়ন মেলিয়া একি হেরিলাম
বাধা নাই কোনো বাধা নাই—
আমি বাঁধা নাই!
ওগো, যে আঁধার ছিল শয়ন ঘেরিয়া
আধা নাই তার আধা নাই,
আমি বাঁধা নাই!
তখনি উঠিয়া গেলেম ছুটিয়া,
দেখিনু কে মোর আগল টুটিয়া
ঘরে ঘরে যত দুয়ার জানালা
সকলি দিয়েছে খুলিয়া—
আকাশ বাতাস ঘরে আসে মোর
বিজয়পতাকা তুলিয়া।
হে বিজয়ী বীর অজানা,
কখন যে তুমি জয় করে যাও
কে পায় তাহার ঠিকানা!

আমি ঘরে বাঁধা ছিনু, এবার আমারে
আকাশে রাখিলে ধরিয়া
দৃঢ় করিয়া।
সব বাঁধা খুলে দিয়ে মুক্তিবাঁধনে
বাঁধিলে আমারে হরিয়া
দৃঢ় করিয়া।

রুদ্ধদুয়ার ঘরে কতবার
খুঁজেছিল মন পথ পালাবার,
এবার তোমার আশাপথ চাহি
বসে রব খোলা দুয়ারে—
তোমারে ধরিতে হইবে বলিয়া
ধরিয়া রাখিব আমারে।
হে মোর পরানবঁধু হে,
কখন যে তুমি দিয়ে চলে যাও
পরানে পরশমধু হে!

[পৌষ ১৩১২]

এই বরষার রাতে এ আমার
~~হৃদি [illegible]~~ অশ্রু সাগর
কোথা নাই
কূল উপকূল নেই, দিক্ দিগন্তর!
প্রভাতে উঠিয়া দেখি
মাঝে ফুটিয়াছে একটি
স্বপ্নবনে একটি
শতদল ~~[illegible]~~ সম্পূর্ণ সুন্দর!

অনিমেষে
সমস্ত আকাশ আছে তারি মুখপরে
সুগভীর প্রশান্তি
সিন্ধুকে চাহিয়া আছে, ~~[illegible]~~ আনন্দে!
বাতাস থামিয়া আছে
সুদূর তীরের কাছে, —
যদিও যাবে না পাবে জানিনা কিসের তরে।

ওরে সখা তোর ওই গানে
~~একটি~~ একাকী অবসাদে
উঠি
কাঁদে হাসে ~~[illegible]~~ কাঁদে —
কোথায় এসেছে অশ্রু সাগরে!
কূল তার নাহি কাছে
তীর তার নাহি মাঝে
তারি পরশনে কাঁদে —
তীর তোর নাচে অশ্রু সাগরে!

প্রভাতে

এক রজনীর বরষনে শুধু
কেমন ক'রে
আমার ঘরের সরোবর আজি
উঠেছে ভরে।
নয়ন মেলিয়া দেখিলাম ওই
ঘন নীল জল করে থই থই ;
কূল কোথা এর, তল মেলে কই
কহো গো মোরে—
এক বরষায় সরোবর দেখো
উঠেছে ভরে।

কাল রজনীতে কে জানিত মনে
এমন হবে
ঝরোঝরো বারি তিমিরনিশীথে
ঝরিল যবে—

ভরা শ্রাবণের নিশি দু-পহরে
শুনেছিনু শুয়ে দীপহীন ঘরে
কেঁদে যায় বায়ু পথে প্রান্তরে
কাতর রবে।
তখন সে রাতে কে জানিত মনে
এমন হবে!

হেরো হেরো মোর অকূল অশ্রু-
সলিল-মাঝে
আজি এ অমল কমলকান্তি
কেমনে রাজে।
একটিমাত্র শ্বেতশতদল
আলোকপুলকে করে ঢলোঢল্,
কখন ফুটিল বল্ মোরে বল্
এমন সাজে
আমার অতল অশ্রুসাগর-
সলিল-মাঝে!

আজি একা বসে ভাবিতেছি মনে
ইহারে দেখি—
দুখযামিনীর বুক-চেরা ধন
হেরিনু একি!

ইহারি লাগিয়া হৃদ্‌বিদারণ—
এত ক্রন্দন, এত জাগরণ—
ছুটেছিল ঝড় ইহারি বদন
বক্ষে লেখি !
দুখযামিনীর বুক-চেরা ধন
হেরিনু একি !

১৪ শ্রাবণ ১৩১২

দান

ভেবেছিলাম চেয়ে নেব—
চাই নি সাহস করে
সন্ধেবেলায় যে মালাটি
গলায় ছিলে প'রে—
আমি চাই নি সাহস করে।
ভেবেছিলাম সকাল হলে
যখন পারে যাবে চলে
ছিন্ন মালা শয্যাতলে
রইবে বুঝি পড়ে।
তাই আমি কাঙালের মতো
এসেছিলেম ভোরে—
তবু চাই নি সাহস করে।

এ তো মালা নয় গো, এ যে
তোমার তরবারি।
জ্বলে ওঠে আগুন যেন,
বজ্র-হেন ভারী—
এ যে তোমার তরবারি।
তরুণ আলো জানলা বেয়ে
পড়ল তোমার শয়ন ছেয়ে,
ভোরের পাখি শুধায় গেয়ে,
‘কী পেলি তুই নারী?’
নয় এ মালা, নয় এ থালা,
গন্ধজলের ঝারি—
এ যে ভীষণ তরবারি।

তাই তো আমি ভাবি বসে
একি তোমার দান!
কোথায় এরে লুকিয়ে রাখি
নাই যে হেন স্থান।
ওগো, একি তোমার দান!
শক্তিহীনা মরি লাজে,
এ ভূষণ কি আমায় সাজে!
রাখতে গেলে বুকের মাঝে
ব্যথা যে পায় প্রাণ।

তবু আমি বইব বুকে
এই বেদনার মান—
নিয়ে তোমারি এই দান।

আজকে হতে জগৎ-মাঝে
ছাড়ব আমি ভয়,
আজ হতে মোর সকল কাজে
তোমার হবে জয়—
আমি ছাড়ব সকল ভয়।
মরণকে মোর দোসর ক'রে
রেখে গেছ আমার ঘরে,
আমি তারে বরণ ক'রে
রাখব পরানময়।
তোমার তরবারি আমার
করবে বাঁধন ক্ষয়—
আমি ছাড়ব সকল ভয়।

তোমার লাগি অঙ্গ ভরি
করব না আর সাজ।
নাইবা তুমি ফিরে এলে
ওগো হৃদয়রাজ।
আমি করব না আর সাজ।

ধুলায় বসে তোমার তরে
কাঁদব না আর একলা ঘরে,
তোমার লাগি ঘরে-পরে
মানব না আর লাজ।
তোমার তরবারি আমায়
সাজিয়ে দিল আজ—
আমি করব না আর সাজ।

গিরিডি
২৬ ভাদ্র ১৩১২

বালিকাবধূ

ওগো বর, ওগো বঁধু,
এই-যে নবীনা বুদ্ধিবিহীনা
এ তব বালিকাবধূ।
তোমার উদার প্রাসাদে একেলা
কত খেলা নিয়ে কাটায় যে বেলা,
তুমি কাছে এলে ভাবে তুমি তার
খেলিবার ধন শুধু,
ওগো বর, ওগো বঁধু!

জানে না করিতে সাজ,
কেশ-বেশ তার হলে একাকার
মনে নাহি মানে লাজ।
দিনে শতবার ভাঙিয়া গড়িয়া
ধুলা দিয়ে ঘর রচনা করিয়া
ভাবে মনে মনে সাধিছে আপন
ঘরকরণের কাজ।
জানে না করিতে সাজ।

কহে এরে গুরুজনে,
'ও যে তোর পতি, ও তোর দেবতা'—
ভীত হয়ে তাহা শোনে।
কেমন করিয়া পূজিবে তোমায়
কোনোমতে তাহা ভাবিয়া না পায় ;
খেলা ফেলি কভু মনে পড়ে তার,
'পালিব পরানপণে
যাহা কহে গুরুজনে।'

বাসকশয়ন-'পরে
তোমার বাহুতে বাঁধা রহিলেও
অচেতন ঘুমভরে।
সাড়া নাহি দেয় তোমার কথায়,
কত শুভখন বৃথা চলি যায়,
যে হার তাহারে পরালে সে হার
কোথায় খসিয়া পড়ে
বাসকশয়ন-'পরে।

শুধু দুর্দিনে ঝড়ে
দশ দিক ত্রাসে আঁধারিয়া আসে
ধরাতলে অম্বরে—

তখন নয়নে ঘুম নাই আর
খেলাধুলা কোথা পড়ে থাকে তার,
তোমারে সবলে রহে আঁকড়িয়া
হিয়া কাঁপে থরথরে—
দুঃখদিনের ঝড়ে।

মোরা মনে করি ভয়,
তোমার চরণে অবোধজনের
অপরাধ পাছে হয়।
তুমি আপনার মনে মনে হাস ;
এই দেখিতেই বুঝি ভালোবাস,
খেলাঘর-দ্বারে দাঁড়াইয়া আড়ে
কী যে পাও পরিচয় !
মোরা মিছে করি ভয়।

তুমি বুঝিয়াছ মনে,
এক দিন এর খেলা ঘুচে যাবে
ওই তব শ্রীচরণে।
সাজিয়া যতনে তোমারি লাগিয়া
বাতায়নতলে রহিবে জাগিয়া,
শতযুগ করি মানিবে তখন
ক্ষণেক অদর্শনে—
তুমি বুঝিয়াছ মনে।

ওগো বর, ওগো বঁধু,
জান জান তুমি ধুলায় বসিয়া
এ বালা তোমারি বধূ।
রতন-আসন তুমি এরি তরে
রেখেছ সাজায়ে নির্জন ঘরে,
সোনার পাত্রে ভরিয়া রেখেছ
নন্দনবনমধু,
ওগো বর, ওগো বঁধু।

১৫ শ্রাবণ ১৩১২

অনাহত

দাঁড়িয়ে আছ আধেক-খোলা
বাতায়নের ধারে,
নূতন বধূ বুঝি ?
আসবে কখন চুড়িওলা
তোমার গৃহদ্বারে
লয়ে তাহার পুঁজি !
দেখছ চেয়ে, গোরুর গাড়ি
উড়িয়ে চলে ধূলি
খর রোদের কালে ;
দূর নদীতে দিচ্ছে পাড়ি
বোঝাই নৌকাগুলি,
বাতাস লাগে পালে।

আধেক-খোলা বিজন ঘরে
ঘোমটা-ছায়ায়-ঢাকা
একলা বাতায়নে

বিশ্ব তোমার আঁখির 'পরে
কেমন পড়ে আঁকা,
তাই ভাবি যে মনে।
ছায়াময় সে ভুবনখানি
স্বপন দিয়ে গড়া
রূপকথাটি-ছাঁদা,
কোন্ সে পিতামহীর বাণী—
নাইকো আগাগোড়া,
দীর্ঘ-ছড়া-বাঁধা।

আমি ভাবি হঠাৎ যদি
বৈশাখের একদিন
বাতাস বহে বেগে,
লজ্জা ছেড়ে নাচে নদী
শূন্যে বাঁধন-হীন,
পাগল উঠে জেগে,
যদি তোমার ঢাকা ঘরে
যত আগল আছে
সকলি যায় দূরে,
ওই-যে বসন নেমে পড়ে
তোমার আঁখির কাছে
ও যদি যায় উড়ে—

তীব্র তড়িৎ হাসি হেসে
বজ্রভেরীর স্বরে
তোমার ঘরে ঢুকি
জগৎ যদি এক নিমেষে
শক্তিমূর্তি ধ'রে
দাঁড়ায় মুখোমুখি—
কোথায় থাকে আধেক-ঢাকা
অলস দিনের ছায়া,
বাতায়নের ছবি !
কোথায় থাকে স্বপন-মাখা
আপন-গড়া মায়া !
উড়িয়া যায় সবই।

তখন তোমার ঘোমটা খোলা
কালো চোখের কোণে
কাঁপে কিসের আলো,
ডুবে তোমার আপ্না-ভোলা,
প্রাণের আন্দোলনে
সকল মন্দ ভালো।
বক্ষে তোমার আঘাত করে
উত্তাল নর্তনে
রক্ততরঙ্গিণী,

অঙ্গে তোমার কী সুর তুলে
চঞ্চলকম্পনে
কঙ্কণকিঙ্কিণী !

আজকে তুমি আপনাকে
আধেক আড়াল ক'রে
দাঁড়িয়ে ঘরের কোণে
দেখতেছ এই জগৎটাকে
কী যে মায়ায় ভ'রে,
তাহাই ভাবি মনে।
অর্থবিহীন খেলার মতো
তোমার পথের মাঝে
চলছে যাওয়া-আসা,
উঠে ফুটে মিলায় কত
ক্ষুদ্র দিনের কাজে
ক্ষুদ্র-কাঁদা-হাসা।

বোলপুর
২৬ শ্রাবণ ১৩:২

বাঁশি

ওই তোমার ওই বাঁশিখানি
শুধু ক্ষণেক-তরে
দাও গো আমার করে।
শরৎ-প্রভাত গেল বয়ে,
দিন যে এল ক্লান্ত হয়ে,
বাঁশি-বাজা সাঙ্গ যদি
কর আলসভরে
তবে তোমার বাঁশিখানি
শুধু ক্ষণেক-তরে
দাও গো আমার করে।

আর কিছু নয়, আমি কেবল
করব নিয়ে খেলা
শুধু একটি বেলা।

তুলে নেব কোলের ’পরে,
অধরেতে রাখব ধরে,
তারে নিয়ে যেমন খুশি
যেথা-সেথায় ফেলা—
এমনি করে আপন-মনে
করব আমি খেলা
শুধু একটি বেলা।

তার পরে যেই সন্ধে হবে
এনে ফুলের ডালা
গেঁথে খুলব মালা।
সাজাব তায় যূথীর হারে,
গন্ধে ভ’রে দেব তারে,
করব আমি আরতি তার
নিয়ে দীপের থালা।
সন্ধে হলে সাজাব তায়
ভ’রে ফুলের ডালা,
গেঁথে যূথীর মালা।

রাতে উঠবে আধেক শশী
তারার মধ্যখানে,
চাবে তোমার পানে।

তখন আমি কাছে আসি
ফিরিয়ে দেব তোমার বাঁশি,
তুমি তখন বাজাবে সুর
গভীর রাতের তানে—
রাতে যখন আধেক শশী
তারার মধ্যখানে
চাবে তোমার পানে।

কলিকাতা
২৯ শ্রাবণ ১৩১২

অনাবশ্যক

কাশের বনে শূন্য নদীর তীরে
আমি তারে জিজ্ঞাসিলাম ডেকে,
'একলা পথে কে তুমি যাও ধীরে
আঁচল-আড়ে প্রদীপখানি ঢেকে?
আমার ঘরে হয় নি আলো জ্বালা,
দেউটি তব হেথায় রাখো বালা।'
গোধূলিতে দুটি নয়ন কালো
ক্ষণেক-তরে আমার মুখে তুলে
সে কহিল, 'ভাসিয়ে দেব আলো,
দিনের শেষে তাই এসেছি কূলে।'
চেয়ে দেখি দাঁড়িয়ে কাশের বনে,
প্রদীপ ভেসে গেল অকারণে।

ভরা সাঁঝে আঁধার হয়ে এলে
আমি ডেকে জিজ্ঞাসিলাম তারে,
'তোমার ঘরে সকল আলো জ্বেলে
এ দীপখানি সঁপিতে যাও কারে?
আমার ঘরে হয় নি আলো জ্বালা,
দেউটি তব হেথায় রাখো বালা।'

আমার মুখে দুটি নয়ন কালো
ক্ষণেক-তরে রইল চেয়ে ভুলে—
সে কহিল, 'আমার এ-যে আলো
আকাশপ্রদীপ শূন্যে দিব তুলে।'
চেয়ে দেখি, শূন্য গগন-কোণে
প্রদীপখানি জ্বলে অকারণে।

অমাবস্যা আঁধার দুই পহরে
জিজ্ঞাসিলাম তাহার কাছে গিয়ে,
'ওগো, তুমি চলেছ কার তরে
প্রদীপখানি বুকের কাছে নিয়ে?
আমার ঘরে হয় নি আলো জ্বালা,
দেউটি তব হেথায় রাখো বালা।'
অন্ধকারে দুটি নয়ন কালো
ক্ষণেক মোরে দেখল চেয়ে তবে—
সে কহিল, 'এনেছি এই আলো,
দীপালিতে সাজিয়ে দিতে হবে।'
চেয়ে দেখি, লক্ষ দীপের সনে
দীপখানি তার জ্বলে অকারণে।

বোলপুর
২৫ শ্রাবণ ১৩১২

অবারিত

ওগো, তোরা বল্ তো এরে
ঘর বলি কোন্ মতে।
এরে কে বেঁধেছে হাটের মাঝে
আনাগোনার পথে!
আসতে যেতে বাঁধে তরী
আমারি এই ঘাটে,
যে খুশি সেই আসে— আমার
এই ভাবে দিন কাটে।
ফিরিয়ে দিতে পারি না যে
হায় রে—
কী কাজ নিয়ে আছি, আমার
বেলা বহে যায় যে, আমার
বেলা বহে যায় রে।

পায়ের শব্দ বাজে তাদের,
রজনীদিন বাজে।

ওগো, মিথ্যে তাদের ডেকে বলি,
'তোদের চিনি না যে।'
কাউকে চেনে পরশ আমার,
কাউকে চেনে ঘ্রাণ,
কাউকে চেনে বুকের রক্ত,
কাউকে চেনে প্রাণ।
ফিরিয়ে দিতে পারি না যে
হায় রে—
ডেকে বলি, 'আমার ঘরে
যার খুশি সেই আয় রে, তোরা
যার খুশি সেই আয় রে।'

সকাল-বেলায় শঙ্খ বাজে
পুবের দেবালয়ে।
ওগো, স্নানের পরে আসে তারা
ফুলের সাজি লয়ে।
মুখে তাদের আলো পড়ে
তরুণ আলোখানি।
অরুণ পায়ের ধুলোটুকু
বাতাস লহে টানি।
ফিরিয়ে দিতে পারি না যে
হায় রে—

ডেকে বলি, 'আমার বনে
তুলিবি ফুল আয় রে, তোরা
তুলিবি ফুল আয় রে।'

দুপুর-বেলা ঘণ্টা বাজে
রাজার সিংহদ্বারে।
ওগো, কী কাজ ফেলে আসে তারা
এই বেড়াটির ধারে!
মলিনবরন মালাখানি
শিথিল কেশে সাজে,
ক্লিষ্টকরুণ রাগে তাদের
ক্লান্ত বাঁশি বাজে।
ফিরিয়ে দিতে পারি না যে
হায় রে—
ডেকে বলি, 'এই ছায়াতে
কাটাবি দিন আয় রে, তোরা
কাটাবি দিন আয় রে।'

রাতের বেলা ঝিল্লি ডাকে
গহন বনমাঝে।
ওগো, ধীরে ধীরে দুয়ারে মোর
কার সে আঘাত বাজে!

যায় না চেনা মুখখানি তার,
কয় না কোনো কথা,
ঢাকে তারে আকাশ-ভরা
উদাস নীরবতা।
ফিরিয়ে দিতে পারি না যে
হায় রে—
চেয়ে থাকি সে মুখ-পানে,
রাত্রি বহে যায়, নীরবে
রাত্রি বহে যায় রে।

শান্তিনিকেতন
১৫ পৌষ ১৩১২

গোধূলিলগ্ন

আমার গোধূলিলগন এল বুঝি কাছে
গোধূলিলগন রে।
বিবাহের রঙে রাঙা হয়ে আসে
সোনার গগন রে।
শেষ করে দিল পাখি গান গাওয়া
নদীর উপরে পড়ে এল হাওয়া,
ও পারের তীর ভাঙা মন্দির
আঁধারে মগন রে।
আসিছে মধুর ঝিল্লিনূপুরে
গোধূলিলগন রে।

আমার দিন কেটে গেছে কখনো খেলায়
কখনো কত কী কাজে!
এখন কী শুনি, পূরবীর সুরে
কোন্ দূরে বাঁশি বাজে!

বুঝি দেরি নাই, আসে বুঝি আসে,
আলোকের আভা লেগেছে আকাশে—
বেলাশেষে মোরে কে সাজাবে ওরে
নবমিলনের সাজে!
সারা হল কাজ, মিছে কেন আজ
ডাক' মোরে আর কাজে!

এখন নিরিবিলি ঘরে সাজাতে হবে রে
বাসকশয়ন যে।
ফুলশেজ-লাগি রজনীগন্ধা
হয় নি চয়ন যে।
সারা যামিনীর দীপ সযতনে
জ্বালায়ে তুলিতে হবে বাতায়নে,
যূথীদল আনি গুণ্ঠনখানি
করিব বয়ন যে।
সাজাতে হবে রে নিবিড় রাতের
বাসকশয়ন যে।

প্রাতে এসেছিল যারা কিনিতে বেচিতে
চলে গেছে তারা সব।
রাখালের গান হল অবসান,
না শুনি ধেনুর রব।

এই পথ দিয়ে প্রভাতে তুপুরে
যারা এল আর যারা গেল দূরে
কে তারা জানিত আমার নিভৃত
সন্ধ্যার উৎসব !
কেনা-বেচা যারা করে গেল সারা
চলে গেল তারা সব।

আমি জানি যে আমার হয়ে গেছে গণা
গোধূলিলগন রে।
ধূসর আলোকে মুদিবে নয়ন
অস্তগগন রে—
তখন এ ঘরে কে খুলিবে দ্বার,
কে লইবে টানি বাহুটি আমার,
আমায় কে জানে কী মন্ত্রে গানে
করিবে মগন রে,
সব গান সেরে আসিবে যখন
গোধূলিলগন রে !

শান্তিনিকেতন
২৯ পৌষ ১৩১২

লীলা

আমি শরৎশেষের মেঘের মতো
তোমার গগন-কোণে
সদাই ফিরি অকারণে।
তুমি আমার চিরদিনের
দিনমণি গো—
আজো তোমার কিরণ-পাতে
মিশিয়ে দিয়ে আলোর সাথে
দেয় নি মোরে বাষ্প ক'রে
তোমার পরশনি—
তোমা হতে পৃথক হয়ে
বৎসর মাস গণি।

ওগো, এমনি তোমার ইচ্ছা যদি
এমনি খেলা তব
তবে খেলাও নব নব।
লয়ে আমার তুচ্ছ কণিক
ক্ষণিকতা গো—

সাজাও তারে বর্ণে বর্ণে
ডুবাও তারে তোমার স্বর্ণে,
বায়ুর স্রোতে ভাসিয়ে তারে
খেলাও যথা-তথা—
শূন্য আমায় নিয়ে রচ
নিত্য বিচিত্রতা।

ওগো, আবার যবে ইচ্ছা হবে
সাঙ্গ কোরো খেলা
ঘোর নিশীথ-রাত্রিবেলা।
অশ্রুধারে ঝরে যাব
অন্ধকারে গো—
প্রভাত-কালে রবে কেবল
নির্মলতা শুভ্রশীতল,
রেখাবিহীন মুক্ত আকাশ
হাসবে চারি ধারে—
মেঘের খেলা মিশিয়ে যাবে
জ্যোতিসাগর-পারে।

শান্তিনিকেতন। বোলপুর
২০ পৌষ ১৩১২

মেঘ

আদি অন্ত হারিয়ে ফেলে
সাদা কালো আসন মেলে
        পড়ে আছে আকাশটা খোশ-খেয়ালি—
আমরা যে সব রাশি রাশি
মেঘের পুঞ্জ ভেসে আসি
        আমরা তারি খেয়াল, তারি হেঁয়ালি।
মোদের কিছু ঠিক-ঠিকানা নাই,
আমরা আসি আমরা চলে যাই।

ওই-যে সকল জ্যোতির মালা
গ্রহ তারা রবির ডালা
        জুড়ে আছে নিত্যকালের পসরা,
ওদের হিসেব পাকা খাতায়
আলোর লেখা কালো পাতায়—
        মোদের তরে আছে মাত্র খসড়া।
রঙ-বেরঙের কলম দিয়ে এঁকে
যেমন খুশি মোছে আবার লেখে।

আমরা কভু বিনা কাজে
ডাক দিয়ে যাই মাঝে মাঝে,
অকারণে মুচ্‌কে হাসি হামেশা।
তাই বলে সব মিথ্যে নাকি ?
বৃষ্টি সে তো নয়কো ফাঁকি,
বজ্রটা তো নিতান্ত নয় তামাশা।
শুধু আমরা থাকি নে কেউ ভাই,
হাওয়ায় আসি হাওয়ায় ভেসে যাই।

নিরুদ্যম

তখন আকাশতলে ঢেউ তুলেছে
পাখিরা গান গেয়ে।
তখন পথের দুটি ধারে
ফুল ফুটেছে ভারে ভারে,
মেঘের কোণে রঙ ধরেছে—
দেখি নি কেউ চেয়ে।
মোরা আপন-মনে ব্যস্ত হয়ে
চলেছিলেম ধেয়ে।

মোরা সুখের বশে গাই নি তো গান,
করি নি কেউ খেলা।
চাই নি ভুলে ডাহিন-বাঁয়ে,
হাটের লাগি যাই নি গাঁয়ে,
হাসি নি কেউ, কই নি কথা—
করি নি কেউ হেলা।
মোরা ততই বেগে চলেছিলেম
যতই বাড়ে বেলা।

শেষে সূর্য যখন মাঝ-আকাশে,
কপোত ডাকে বনে,
তপ্ত হাওয়ায় ঘুরে ঘুরে
শুকনো পাতা বেড়ায় উড়ে,
বটের তলে রাখাল-শিশু
ঘুমায় অচেতনে—
আমি জলের ধারে শুলেম এসে
শ্যামল তৃণাসনে।

আমার দলের সবাই আমার পানে
চেয়ে গেল হেসে।
চলে গেল উচ্চশিরে,
চাইল না কেউ পিছু ফিরে,
মিলিয়ে গেল সুদূর ছায়ায়
পথতরুর শেষে।
তারা পেরিয়ে গেল কত যে মাঠ,
কত দূরের দেশে।

ওগো, ধন্য তোমরা দুখের যাত্রী,
ধন্য তোমরা সবে।
লাজের ঘায়ে উঠিতে চাই,
মনের মাঝে সাড়া না পাই—

মগ্ন হলেম আনন্দময়
অগাধ অগৌরবে
পাখির গানে, বাঁশির তানে,
কম্পিত পল্লবে।

আমি মুগ্ধতনু দিলেম মেলে
বসুন্ধরার কোলে।
বাঁশের ছায়া কী কৌতুকে
নাচে আমার চক্ষে মুখে,
আমের মুকুল গন্ধে আমায়
বিধুর করে তোলে।
নয়ন মুদে আসে মৌমাছিদের
গুঞ্জনকল্লোলে।

সেই রৌদ্রে-ঘেরা সবুজ আরাম
মিলিয়ে এল প্রাণে।
ভুলে গেলেম কিসের তরে
বাহির হলেম পথের 'পরে,
ঢেলে দিলেম চেতনা মোর
ছায়ায় গন্ধে গানে।
ধীরে ঘুমিয়ে প'লেম অবশ দেহে
কখন কে তা জানে!

শেষে গভীর ঘুমের মধ্য হতে
ফুটল যখন আঁখি
চেয়ে দেখি কখন এসে
দাঁড়িয়ে আছ শিয়র-দেশে
তোমার হাসি দিয়ে আমার
অচৈতন্য ঢাকি।
ওগো, ভেবেছিলেম আছে আমার
কত-না পথ বাকি।

মোরা ভেবেছিলেম পরান-পণে
সজাগ রব সবে।
সন্ধ্যা হবার আগে যদি
পার হতে না পারি নদী
ভেবেছিলেম তাহা হলেই
সকল ব্যর্থ হবে।
যখন আমি থেমে গেলেম, তুমি
আপনি এলে কবে।

কলিকাতা
৬ চৈত্র ১৩১২

কৃপণ

আমি   ভিক্ষা করে ফিরতেছিলেম
গ্রামের পথে পথে,
তুমি তখন চলেছিলে
তোমার স্বর্ণরথে।
অপূর্ব এক স্বপ্নসম
লাগতেছিল চক্ষে মম—
কী বিচিত্র শোভা তোমার,
কী বিচিত্র সাজ!
আমি মনে ভাবতেছিলেম,
এ কোন্ মহারাজ!

আজি   শুভক্ষণে রাত পোহালো—
ভেবেছিলেম, তবে

আজ আমারে দ্বারে দ্বারে
ফিরতে নাহি হবে।
বাহির হতে নাহি হতে
কাহার দেখা পেলেম পথে,
চলিতে রথ ধনধান্য
ছড়াবে দুই ধারে—
মুঠা মুঠা কুড়িয়ে নেব,
নেব ভারে ভারে।

দেখি সহসা রথ থেমে গেল
আমার কাছে এসে,
আমার মুখপানে চেয়ে
নামলে তুমি হেসে।
দেখে মুখের প্রসন্নতা
জুড়িয়ে গেল সকল ব্যথা,
হেনকালে কিসের লাগি
তুমি অকস্মাৎ
'আমায় কিছু দাও গো' ব'লে
বাড়িয়ে দিলে হাত!

মরি, একি কথা রাজাধিরাজ—
'আমায় দাও গো কিছু'!

শুনে ক্ষণকালের তরে
রইনু মাথা-নিচু।
তোমার কী বা অভাব আছে
ভিখারি ভিক্ষুকের কাছে!
এ কেবল কৌতুকের বশে
আমায় প্রবঞ্চনা।
ঝুলি হতে দিলেম তুলে
একটি ছোটো কণা।

যবে পাত্রখানি ঘরে এনে
উজাড় করি— একি!
ভিক্ষা-মাঝে একটি ছোটো
সোনার কণা দেখি।
দিলেম যা রাজ-ভিখারিরে
স্বর্ণ হয়ে এল ফিরে,
তখন কাঁদি চোখের জলে
দুটি নয়ন ভ'রে—
তোমায় কেন দিই নি আমার
সকল শূন্য ক'রে!

কলিকাতা
৮ চৈত্র [১৩১২]

কুয়ার ধারে

তোমার কাছে চাই নি কিছু,
জানাই নি মোর নাম।
তুমি যখন বিদায় নিলে
নীরব রহিলাম।

একলা ছিলেম কুয়ার ধারে
নিমের ছায়াতলে,
কলস নিয়ে সবাই তখন
পাড়ায় গেছে চলে।
আমায় তারা ডেকে গেল,
'আয় গো বেলা যায়।'
কোন্ আলসে রইনু বসে
কিসের ভাবনায়!

পদধ্বনি শুনি নাইকো
কখন্ তুমি এলে।
কইলে কথা ক্লান্ত কণ্ঠে
করুণ চক্ষু মেলে
'তৃষাকাতর পান্থ আমি'—
শুনে চম্‌কে উঠে

জলের ধারা দিলেম ঢেলে
তোমার করপুটে।
মর্মরিয়া কাঁপে পাতা,
কোকিল কোথা ডাকে,
বাবলা ফুলের গন্ধ ওঠে
পল্লীপথের বাঁকে।

যখন তুমি শুধালে নাম
পেলেম বড়ো লাজ—
তোমার মনে থাকার মতো
করেছি কোন্ কাজ!
তোমায় দিতে পেরেছিলেম
একটু তৃষার জল,
এই কথাটি আমার মনে
রহিল সম্বল।
কুয়ার ধারে দুপুর-বেলা
তেমনি ডাকে পাখি,
তেমনি কাঁপে নিমের পাতা—
আমি বসেই থাকি।

৯ চৈত্র ১৩১২

জাগরণ

পথ চেয়ে তো কাটল নিশি,
　　　　লাগছে মনে ভয়—
সকাল-বেলা ঘুমিয়ে পড়ি
　　　　যদি এমন হয়!
যদি তখন হঠাৎ এসে
দাঁড়ায় আমার দুয়ার-দেশে!
বনচ্ছায়ায় ঘেরা এ ঘর
　　　　আছে তো তার জানা—
ওগো, তোরা পথ ছেড়ে দিস,
　　　　করিস নে কেউ মানা।

যদি বা তার পায়ের শব্দে
　　　　ঘুম না ভাঙে মোর,
শপথ আমার, তোরা কেহ
　　　　ভাঙাস নে সে ঘোর।

চাই নে জাগতে পাখির রবে
নতুন আলোর মহোৎসবে,
চাই নে জাগতে হাওয়ায় আকুল
বকুল ফুলের বাসে—
তোরা আমায় ঘুমোতে দিস
যদিই বা সে আসে।

ওগো, আমার ঘুম যে ভালো
গভীর অচেতনে
যদি আমায় জাগায় তারই
আপন পরশনে।
ঘুমের আবেশ যেমনি টুটি
দেখব তারই নয়ন দুটি
মুখে আমার তারই হাসি
পড়বে সকৌতুকে—
সে যেন মোর সুখের স্বপন
দাঁড়াবে সম্মুখে ।

সে আসবে মোর চোখের 'পরে
সকল আলোর আগে—
তাহারই রূপ মোর প্রভাতের
প্রথম হয়ে জাগে।

প্রথম চমক লাগবে সুখে
চেয়ে তারই করুণ মুখে,
চিত্ত আমার উঠবে কেঁপে
তার চেতনায় ভ'রে—
তোরা আমায় জাগাস নে কেউ,
জাগাবে সেই মোরে।

কলিকাতা
১০ চৈত্র ১৩১২

ফুল ফোটানো

তোরা কেউ পারবি নে গো,
পারবি নে ফুল ফোটাতে।
যতই বলিস, যতই করিস,
যতই তারে তুলে ধরিস,
ব্যগ্র হয়ে রজনী দিন
আঘাত করিস বোঁটাতে—
তোরা কেউ পারবি নে গো,
পারবি নে ফুল ফোটাতে।

দৃষ্টি দিয়ে বারে বারে
ম্লান করতে পারিস তারে,
ছিঁড়তে পারিস দলগুলি তার,
ধুলায় পারিস লোটাতে—
তোদের বিষম গণ্ডগোলে
যদিই বা সে মুখটি খোলে
ধরবে না রঙ, পারবে না তার
গন্ধটুকু ছোটাতে।
তোরা কেউ পারবি নে গো,
পারবি নে ফুল ফোটাতে।

যে পারে সে আপনি পারে,
পারে সে ফুল ফোটাতে।
সে শুধু চায় নয়ন মেলে
দুটি চোখের কিরণ ফেলে,
অমনি যেন পূর্ণপ্রাণের
মন্ত্র লাগে বোঁটাতে।
যে পারে সে আপনি পারে,
পারে সে ফুল ফোটাতে।

নিশ্বাসে তার নিমেষেতে
ফুল যেন চায় উড়ে যেতে,
পাতার পাখা মেলে দিয়ে
হাওয়ায় থাকে লোটাতে।
রঙ যে ফুটে ওঠে কত
প্রাণের ব্যাকুলতার মতো,
যেন কারে আনতে ডেকে
গন্ধ থাকে ছোটাতে।
যে পারে সে আপনি পারে,
পারে সে ফুল ফোটাতে।

বোলপুর
১১ চৈত্র [১৩১২]

হার

মোদের হারের দলে বসিয়ে দিলে
জানি আমরা পারব না।
হারাও যদি হারব খেলায়,
তোমার খেলা ছাড়ব না।
কেউ বা ওঠে, কেউ বা পড়ে,
কেউ বা বাঁচে, কেউ বা মরে,
আমরা নাহয় মরার পথে
করব প্রয়াণ রসাতলে।
হারের খেলাই খেলব মোরা
বসাও যদি হারের দলে।

আমরা বিনা পণে খেলব না গো,
খেলব রাজার ছেলের মতো।
ফেলব খেলায় ধনরতন
যেথায় মোদের আছে যত।
সর্বনাশা তোমার যে ডাক,
যায় যদি যাক সকলই যাক,
শেষ কড়িটি চুকিয়ে দিয়ে
খেলা মোদের করব সারা।

তার পরে কোন্ বনের কোণে
হারের দলটি হব হারা।

তবু এই হারা তো শেষ হারা নয়,
আবার খেলা আছে পরে।
জিতল যে সে জিতল কি না
কে বলবে তা সত্য করে!
হেরে তোমায় করব সাধন,
ক্ষতির ক্ষুরে কাটব বাঁধন,
শেষ দানেতে তোমার কাছে
বিকিয়ে দেব আপনারে।
তার পরে কী করবে তুমি
সে কথা কেউ ভাবতে পারে!

বোলপুর
১২ চৈত্র [১৩২১]

বন্দী

বন্দী, তোরে কে বেঁধেছে
এত কঠিন ক'রে ?

প্রভু আমায় বেঁধেছে যে
বজ্রকঠিন ডোরে।
মনে ছিল সবার চেয়ে
আমিই হব বড়ো,
রাজার কড়ি করেছিলেম
নিজের ঘরে জড়ো।
ঘুম লাগিতে শুয়েছিলেম
প্রভুর শয্যা পেতে,
জেগে দেখি বাঁধা আছি
আপন ভাণ্ডারেতে।

বন্দী ওগো, কে গড়েছে
বজ্রবাঁধনখানি ?

আপনি আমি গড়েছিলেম
বহু যতন মানি।
ভেবেছিলেম আমার প্রতাপ
করবে জগৎ গ্রাস,
আমি রব একলা স্বাধীন
সবাই হবে দাস।
তাই গড়েছি রজনী দিন
লোহার শিকলখানা—
কত আগুন কত আঘাত
নাইকো তার ঠিকানা।
গড়া যখন শেষ হয়েছে
কঠিন সুকঠোর,
দেখি আমায় বন্দী করে
আমারি এই ডোর।

বোলপুর
৯ বৈশাখ ১৩১৩

পথিক

পথিক, ওগো পথিক, যাবে তুমি—
এখন এ যে গভীরঘোর নিশা।
নদীর পারে তমালবনভূমি
গহনঘন অন্ধকারে মিশা।
মোদের ঘরে হয়েছে দীপ জ্বালা,
বাঁশির ধ্বনি হৃদয়ে এসে লাগে।
নবীন আছে এখনো ফুলমালা,
তরুণ আঁখি এখনো দেখো জাগে।
বিদায়বেলা এখনি কি গো হবে—
পথিক, ওগো পথিক, যাবে তবে?

তোমারে মোরা বাঁধি নি কোনো ডোরে,
রুধিয়া মোরা রাখি নি তব পথ।

তোমার ঘোড়া রয়েছে সাজ প'রে,
বাহিরে দেখো দাঁড়ায়ে তব রথ।
বিদায়পথে দিয়েছি বটে বাধা
কেবল শুধু করুণ কলগীতে,
চেয়েছি বটে রাখিতে হেথা বাঁধা
কেবল শুধু চোখের চাহনিতে।
পথিক ওগো, মোদের নাহি বল,
রয়েছে শুধু আকুল আঁখিজল।

নয়নে তব কিসের এই গ্লানি,
রক্তে তব কিসের তরলতা?
আঁধার হতে এসেছে নাহি জানি
তোমার প্রাণে কাহার কী বারতা।
সপ্তঋষি গগনসীমা হতে
কখন কী-যে মন্ত্র দিল পড়ি—
তিমিররাতি শব্দহীন স্রোতে
হৃদয়ে তব আসিল অবতরি।
বচনহারা অচেনা অদ্‌ভুত
তোমার কাছে পাঠালো কোন্‌ দূত

এ মেলা যদি না লাগে তব ভালো,
শান্তি যদি না মানে তব প্রাণ—

সভার তরে নিবায়ে দিব আলো—
বাঁশির তরে থামায়ে দিব তান।
স্তব্ধ মোরা আঁধারে রব বসি,
ঝিল্লিরব উঠিবে জেগে বনে,
কৃষ্ণরাতে প্রাচীনক্ষীণ শশী
চক্ষে তব চাহিবে বাতায়নে।
পথপাগল পথিক, রাখো কথা—
নিশীথে তব কেন এ অধীরতা।

বোলপুর
৮ বৈশাখ ১৩১৩

মিলন

আমি	কেমন করিয়া জানাব আমার
জুড়ালো হৃদয় জুড়ালো, আমার
জুড়ালো হৃদয় প্রভাতে!
আমি	কেমন করিয়া জানাব, আমার
পরান কী নিধি কুড়ালো, ডুবিয়া
নিবিড় নীরব শোভাতে!
আজ	গিয়েছি সবার মাঝারে, সেথায়
দেখেছি একেলা আলোকে, দেখেছি
আমার হৃদয়রাজারে।
আমি	দু-একটি কথা কয়েছি তা-সনে
সে নীরব সভা-মাঝারে, দেখেছি
চিরজনমের রাজারে।

ওগো,	সে কি মোরে শুধু দেখেছিল চেয়ে
অথবা জুড়ালো পরশে, তাহার
কমলকরের পরশে—
আমি	সে কথা সকলই গিয়েছি যে ভুলে
ভুলেছি পরম হরষে।
আমি	জানি না কী হল, শুধু এই জানি
চোখে মোর সুখ মাখালো, কে যেন
সুখ-অঞ্জন মাখালো—

কার আঁখি-ভরা হাসি উঠিল প্রকাশি
যে দিকেই আঁখি তাকালো।

আজ মনে হল কারে পেয়েছি, কারে যে
পেয়েছি সে কথা জানি না।
আজ কী লাগি উঠিছে কাঁপিয়া কাঁপিয়া
সারা আকাশের আঙিনা কিসে যে
পূরেছে শূন্য জানি না।
এই বাতাস আমারে হৃদয়ে লয়েছে—
আলোক আমার তনুতে, কেমনে
মিলে গেছে মোর তনুতে—
তাই এ গগন-ভরা প্রভাত পশিল
আমার অণুতে অণুতে।

আজ ত্রিভুবন-জোড়া কাহার বক্ষে
দেহমন মোর ফুরালো, যেন রে
নিঃশেষে আজি ফুরালো—
আজ যেখানে যা হেরি সকলেরই মাঝে
জুড়ালো জীবন জুড়ালো, আমার
আদি ও অন্ত জুড়ালো।

শিলাইদহ। 'পদ্মা'
২৩ মাঘ, সোমবার, ১৩১২

বিচ্ছেদ

তোমার বীণার সাথে আমি
সুর দিয়ে যে যাব—
তারে তারে খুঁজে বেড়াই
সে সুর কোথায় পাব।

যেমন সহজ ভোরের জাগা,
স্রোতের আনাগোনা,
যেমন সহজ পাতায় শিশির,
মেঘের মুখে সোনা,
যেমন সহজ জ্যোৎস্নাখানি
নদীর বালু-পাড়ে,
গভীর রাতে বৃষ্টিধারা
আষাঢ়-অন্ধকারে—

খুঁজে মরি তেমনি সহজ
তেমনি ভরপুর
তেমনিতরো অর্থ-ছোটা
আপনি-ফোটা সুর,
তেমনিতরো নিত্যনবীন
অফুরন্ত প্রাণ—

বহু কালের পুরানো সেই
সবার-জানা গান।

আমার যে এই নূতন-গড়া
নূতন-বাঁধা তার
নূতন সুরে করতে সে যায়
সৃষ্টি আপনার।
মেশে না তাই চারি দিকের
সহজ সমীরণে,
মেলে না তাই আকাশ-ডোবা
স্তব্ধ আলোর সনে।

জীবন আমার কাঁদে যে তাই
দণ্ডে পলে পলে,
যত চেষ্টা করি কেবল
চেষ্টা বেড়ে চলে।
ঘটিয়ে তুলি কত কী যে
বুঝি না এক তিল,
তোমার সঙ্গে অনায়াসে
হয় না সুরের মিল।

শিলাইদহ। 'পদ্মা'
২৪ মাঘ ১৩১২

বিকাশ

আজ বুকের বসন ছিঁড়ে ফেলে
দাঁড়িয়েছে এই প্রভাতখানি
আকাশেতে সোনার আলোয়
ছড়িয়ে গেল তাহার বাণী
কুঁড়ির মতো ফেটে গিয়ে
ফুলের মতো উঠল কেঁদে,
সুধাকোষের সুগন্ধ তার
পারলে না আর রাখতে বেঁধে।

ওরে মন, খুলে দে মন,
যা আছে তোর খুলে দে।
অন্তরে যা ডুবে আছে
আলোক-পানে তুলে দে।
আনন্দে সব বাধা টুটে
সবার সাথে ওঠ্‌ রে ফুটে,
চোখের 'পরে আলস-ভরে
রাখিস নে আর আঁচল টানি।
আজ বুকের বসন ছিঁড়ে ফেলে
দাঁড়িয়েছে এই প্রভাতখানি।

শিলাইদহ। 'পদ্মা'
২৪ মাঘ [১৩:২]

সীমা

সেটুকু তোর অনেক আছে
যেটুকু তোর আছে খাঁটি।
তার চেয়ে লোভ করিস যদি
সকলই তোর হবে মাটি।
একমনে তোর একতারাতে
একটি যে তার সেইটে বাজা,
ফুল-বনে তোর একটি কুসুম
তাই নিয়ে তোর ডালি সাজা।
যেখানে তোর বেড়া সেথায়
আনন্দে তুই থামিস এসে,
যে কড়ি তোর প্রভুর দেওয়া
সেই কড়ি তুই নিস রে হেসে।
লোকের কথা নিস নে কানে,
ফিরিস নে আর হাজার টানে,
যেন রে তোর হৃদয় জানে
হৃদয়ে তোর আছেন রাজা—
একতারাতে একটি যে তার
আপন-মনে সেইটি বাজা।

শিলাইদহ। 'পদ্মা'
২৫ মাঘ [১৩১২]

ভার

তুমি যত ভার দিয়েছ সে ভার
করিয়া দিয়েছ সোজা,
আমি যত ভার জমিয়ে তুলেছি
সকলই হয়েছে বোঝা।
এ বোঝা আমার নামাও বন্ধু, নামাও।
ভারের বেগেতে চলেছি, আমার
এ যাত্রা তুমি থামাও।

যে তোমার ভার বহে কভু তার
সে ভারে ঢাকে না আঁখি,
পথে বাহিরিলে জগৎ তারে তো
দেয় না কিছুই ফাঁকি।
অবারিত আলো ধরে আসি তার হাতে,
বনে পাখি গায়— নদীধারা ধায়—
চলে সে সবার সাথে।

তুমি কাজ দিলে কাজেরই সঙ্গে
দাও যে অসীম ছুটি,
তোমার আদেশ আবরণ হয়ে
আকাশ লয় না লুটি।

বাসনায় মোরা বিশ্বজগৎ ঢাকি,
তোমা-পানে চেয়ে যত করি ভোগ
তত আরো থাকে বাকি।

আপনি যে দুখ ডেকে আনি সে যে
জ্বালায় বজ্রানলে—
অঙ্গার করে রেখে যায়, সেথা
কোনো ফল নাহি ফলে।
তুমি যাহা দাও সে যে দুঃখের দান,
শ্রাবণধারায় বেদনার রসে
সার্থক করে প্রাণ।

যেখানে যা-কিছু পেয়েছি কেবলই
সকলই করেছি জমা—
যে দেখে সে আজ মাগে যে হিসাব,
কেহ নাহি করে ক্ষমা।
এ বোঝা আমার নামাও বন্ধু, নামাও।
ভারের বেগেতে ঠেলিয়া চলেছে,
এ যাত্রা মোর থামাও।

'পদ্মা'
২৫ মাঘ [১৩১২]

টিকা

আজ　　পুরবে প্রথম নয়ন মেলিতে
হেরিনু অরুণশিখা— হেরিনু
কমলবরন শিখা,
তখনি হাসিয়া প্রভাততপন
দিলেন আমারে টিকা— আমার
হৃদয়ে জ্যোতির টিকা।

কে যেন আমার নয়ননিমেষে
রাখিল পরশমণি,
যে দিকে তাকাই সোনা করে দেয়
দৃষ্টির পরশনি।
অন্তর হতে বাহিরে সকলই
আলোকে হইল মিশা—
নয়ন আমার হৃদয় আমার
কোথাও না পায় দিশা।

আজ যেমনি নয়ন তুলিয়া চাহিনু
কমলবরন শিখা— আমার
অন্তরে দিল টিকা।
ভাবিয়াছি মনে দিব না মুছিতে
এ পরশরেখা দিব না ঘুচিতে,
সন্ধ্যার পানে নিয়ে যাব বহি
নবপ্রভাতের লিখা
উদয়রবির টিকা।

'পদ্মা'
২৬. মাঘ [১৩১২]

বৈশাখে

তপ্ত হাওয়া দিয়েছে আজ
আমলা গাছের কচি পাতায়,
কোথা থেকে ক্ষণে ক্ষণে
নিমের ফুলে গন্ধে মাতায়।
কেউ কোথা নেই মাঠের 'পরে,
কেউ কোথা নেই শূন্য ঘরে—
আজ দুপুরে আকাশ-তলে
রিমিঝিমি নূপুর বাজে।
বারে বারে ঘুরে ঘুরে
মৌমাছিদের গুঞ্জস্বরে
কার চরণের নৃত্য যেন
ফিরে আমার বুকের মাঝে।
রক্তে আমার তালে তালে
রিমিঝিমি নূপুর বাজে।

ঘন মহুল-শাখার মতো
নিশ্বসিয়া উঠিছে প্রাণ।

গায়ে আমার লেগেছে কার
এলো চুলের সুদূর ঘ্রাণ।
আজি রোদের প্রখর তাপে
বাঁধের জলে আলো কাঁপে,
বাতাস বাজে মর্মরিয়া
সারি-বাঁধা তালের বনে।
আমার মনের মরীচিকা
আকাশ-পারে পড়ল লিখা,
লক্ষ্যবিহীন দূরের 'পরে
চেয়ে আছি আপন-মনে।
অলস ধেনু চ'রে বেড়ায়
সারি-বাঁধা তালের বনে।

আজিকার এই তপ্ত দিনে
কাটল বেলা এমনি করে।
গ্রামের ধারে ঘাটের পথে
এল গভীর ছায়া পড়ে।
সন্ধ্যা এখন পড়ছে হেলে
শালবনেতে আঁচল মেলে,
আঁধার ঢালা দিঘির ঘাটে
হয়েছে শেষ কলস ভরা।

মনের কথা কুড়িয়ে নিয়ে
ভাবি মাঠের মধ্যে গিয়ে,
সারাদিনের অকাজে আজ
কেউ কি মোরে দেয় নি ধরা।
আমার কি মন শূন্য, যখন
হল বধূর কলস ভরা।

৭ বৈশাখ ১৩১৩

বিদায়

বিদায় দেহো, ক্ষম আমায় ভাই—
কাজের পথে আমি তো আর নাই।
এগিয়ে সবে যাও-না দলে দলে,
জয়মাল্য লও-না তুলি গলে,
আমি এখন বনচ্ছায়াতলে
অলক্ষিতে পিছিয়ে যেতে চাই।
তোমরা মোরে ডাক দিয়ো না ভাই।

অনেক দূরে এলেম সাথে সাথে,
চলেছিলেম সবাই হাতে হাতে—
এইখানেতে দুটি পথের মোড়ে
হিয়া আমার উঠল কেমন করে
জানি নে কোন্ ফুলের গন্ধঘোরে
সৃষ্টিছাড়া ব্যাকুল বেদনাতে।
আর তো চলা হয় না সাথে সাথে।

তোমরা আজি ছুটেছ যার পাছে
সে-সব মিছে হয়েছে মোর কাছে—
রত্ন খোঁজা, রাজ্য-ভাঙা-গড়া,
মতের লাগি দেশ-বিদেশে লড়া,

আলবালে জলসেচন করা
উচ্চশাখা স্বর্ণচাঁপার গাছে।
পারি নে আর চলতে সবার পাছে।

আকাশ ছেয়ে মন-ভোলানো হাসি
আমার প্রাণে বাজালো আজ বাঁশি।
লাগল অলস পথে চলার মাঝে,
হঠাৎ বাধা পড়ল সকল কাজে,
একটি কথা পরান জুড়ে বাজে
'ভালোবাসি হায় রে ভালোবাসি'—
সবার বড়ো হৃদয়-হরা হাসি।

তোমরা তবে বিদায় দেহো মোরে—
অকাজ আমি নিয়েছি সাধ করে।
মেঘের পথের পথিক আমি আজি,
হাওয়ার মুখে চলে যেতেই রাজি,
অকূল-ভাসা তরীর আমি মাঝি
বেড়াই ঘুরে অকারণের ঘোরে।
তোমরা সবে বিদায় দেহো মোরে।

বোলপুর
১৪ চৈত্র ১৩১২

পথের শেষ

পথের নেশা আমায় লেগেছিল,
পথ আমারে দিয়েছিল ডাক।
সূর্য তখন পূর্বগগনমূলে,
নৌকা তখন বাঁধা নদীর কূলে,
শিশির তখন শুকায় নিকো ফুলে,
শিবালয়ে উঠল বেজে শাঁখ।
পথের নেশা তখন লেগেছিল,
পথ আমারে দিয়েছিল ডাক।

আঁকাবাঁকা রাঙা মাটির লেখা
ঘর-ছাড়া ওই নানা দেশের পথ—

প্রভাত-কালে অপার-পানে চেয়ে
কী মোহগান উঠতেছিল গেয়ে,
উদার সুরে ফেলতেছিল ছেয়ে
    বহু দূরের অরণ্য পর্বত।
নানা দিনের নানা-পথিক-চলা
    ঘর-ছাড়া ওই নানা দেশের পথ।

ভাবি নাইকো কেন কিসের লাগি
    ছুটে চলে এলেম পথের 'পরে।
নিত্য কেবল এগিয়ে চলার সুখ,
বাহির হওয়ার অনন্ত কৌতুক,
প্রতি পদেই অন্তর উৎসুক
    অজানা কোন্ নিরুদ্দেশের তরে।
ভোরের বেলা দুয়ার খুলে দিয়ে
    বাহির হয়ে এলেম পথের 'পরে।

বেলা এখন অনেক হয়ে গেছে,
    পেরিয়ে চলে এলেম বহু দূর।
ভেবেছিলেম পথের বাঁকে বাঁকে
নব নব ভাগ্য আমায় ডাকে,
হঠাৎ যেন দেখতে পাব কাকে,
    শুনতে যেন পাব নূতন সুর।

তার পরে তো অনেক বেলা হল,
পেরিয়ে চলে এলেম বহু দূর।

অনেক দেখে ক্লান্ত এখন প্রাণ,
ছেড়েছি সব অকস্মাতের আশা।
এখন কেবল একটি পেলেই বাঁচি,
এসেছি তাই ঘাটের কাছাকাছি,
এখন শুধু আকুল মনে যাচি
তোমার পারে খেয়ার তরী ভাসা।
জেনেছি আজ চলেছি কার লাগি,
ছেড়েছি সব অকস্মাতের আশা।

বোলপুর
১৪ চৈত্র [১৩১২]

নীড় ও আকাশ

নীড়ে ব'সে গেয়েছিলেম
আলোছায়ার বিচিত্র গান
সেই গানেতে মিশেছিল
বনভূমির চঞ্চল প্রাণ।
দুপুর-বেলার গভীর ক্লান্তি,
রাত্রি-বেলার নিবিড় শান্তি,
প্রভাত-কালের বিজয়-যাত্রা,
মলিন মৌন সন্ধ্যাবেলার,
পাতার কাঁপা, ফুলের ফোটা,
শ্রাবণ-রাতে জলের ফোঁটা,
উস্‌খুস্‌ শব্দটুকুন
কোটর-মাঝে কীটের খেলার,
কত আভাস আসা-যাওয়ার,
ঝর্‌ঝরানি হঠাৎ হাওয়ার,
বেণুবনের ব্যাকুল বার্তা
নিশ্বসিত জ্যোৎস্নারাতে,
ঘাসের পাতার মাটির গন্ধ,
কত ঋতুর কত ছন্দ—
সুরে সুরে জড়িয়ে ছিল
নীড়ে-গাওয়া গানের সাথে।

আজ কি আমায় গাইতে হবে
নীল আকাশের নির্জন গান ?
নীড়ের বাঁধন ভুলে গিয়ে
ছড়িয়ে দেব মুক্ত পরান ?
গন্ধবিহীন বায়ুস্তরে
শব্দবিহীন শূন্য-'পরে
ছায়াবিহীন জ্যোতির মাঝে
সঙ্গীবিহীন নির্মমতায়—
মিশে যাব অবাধ সুখে,
উড়ে যাব ঊর্ধ্বমুখে,
গেয়ে যাব পূর্ণসুরে
অর্থবিহীন কলকথায় ?
আপন মনের পাই নে দিশা,
ভুলি শঙ্কা, হারাই তৃষা,
যখন করি বাঁধন-হারা
এই আনন্দ-অমৃত পান।
তবু নীড়েই ফিরে আসি,
এমনি কাঁদি এমনি হাসি,
তবুও এই ভালোবাসি
আলোছায়ার বিচিত্র গান।

বোলপুর
১২ চৈত্র [১৩১২]

সমুদ্রে

সকাল-বেলায় ঘাটে যে দিন
ভাসিয়ে দিলেম নৌকাখানি
কোথায় আমার যেতে হবে
সে কথা কি কিছুই জানি!
শুধু শিকল দিলেম খুলে,
শুধু নিশান দিলেম তুলে,
টানি নি দাঁড়, ধরি নি হাল—
ভেসে গেলেম স্রোতের মুখে।
তীরে তরুর ডালে ডালে
ডাকল পাখি প্রভাত-কালে,
তীরে তরুর ছায়ায় রাখাল
বাজায় বাঁশি মনের সুখে।

তখন আমি ভাবি নাইকো
সূর্য যাবে অস্তাচলে,
নদীর স্রোতে ভেসে ভেসে
পড়ব এসে সাগর-জলে—

ঘাটে ঘাটে তীরে তীরে
যে তরী ধায় ধীরে ধীরে
বাইতে হবে নিয়ে তারে
নীল পাথারে একলা প্রাণে।
তারাগুলি আকাশ ছেয়ে
মুখে আমার রইল চেয়ে,
সিন্ধুশকুন উড়ে গেল
কূলে আপন কুলায়-পানে।

দুলুক তরী ঢেউয়ের 'পরে
ওরে আমার জাগ্রত প্রাণ।
গাও রে আজি নিশীথ-রাতে
অকূল-পাড়ির আনন্দ-গান।
যাক-না মুছে তটের রেখা,
নাই বা কিছু গেল দেখা,
অতল বারি দিক-না সাড়া
বাঁধন-হারা হাওয়ার ডাকে—
দোসর-ছাড়া একার দেশে
একেবারে এক নিমেষে
লও রে বুকে দু হাত মেলি
অন্তবিহীন অজানাকে।

৭ বৈশাখ ১৩১৩

দিনশেষ

ভাঙা অতিথশালা।
ফাটা ভিতে অশথ-বটে
মেলেছে ডালপালা।
প্রখর রোদে তপ্ত পথে
কেটেছে দিন কোনোমতে,
মনে ছিল সন্ধ্যাবেলায়
মিলবে হেথা ঠাঁই।
মাঠের 'পরে আঁধার নামে,
হাটের লোকে ফিরল গ্রামে,
হেথায় এসে চেয়ে দেখি
নাই যে কেহ নাই।

কত কালে কত লোকে
কত দিনের শেষে
ধুয়েছিল পথের ধুলা
এইখানেতে এসে।
বসেছিল জ্যোৎস্নারাতে
স্নিগ্ধ শীতল আঙিনাতে,
কয়েছিল সবাই মিলে
নানা দেশের কথা।

প্রভাত হলে পাখির গানে
জেগেছিল নূতন প্রাণে,
দুলেছিল ফুলের ভারে
পথের তরুলতা।

আমি যে দিন এলেম, সে দিন
দীপ জ্বলে না ঘরে।
বহু দিনের শিখার কালি
আঁকা ভিতের 'পরে।
শুষ্কজলা দিঘির পাড়ে
জোনাক ফিরে ঝোপে ঝাড়ে,
ভাঙা পথে বাঁশের শাখা
ফেলে ভয়ের ছায়া।
আমার দিনের যাত্রা-শেষে
কার অতিথি হলেম এসে!
হায় রে বিজন দীর্ঘ রাত্রি,
হায় রে ক্লান্ত কায়া!

৮ বৈশাখ ১৩১৩

সমাপ্তি

বন্ধ হয়ে এল স্রোতের ধারা,
    শৈবালেতে আটক প'ল তরী।
নৌকো-বাওয়া এবার করো সারা—
    নাই রে হাওয়া, পাল নিয়ে কী করি!
এখন তবে চলো নদীর তটে—
    গোধূলিতে আকাশ হল রাঙা,
পশ্চিমেতে আঁকা আগুন-পটে
    বাব্‌লাবনে ওই দেখা যায় ডাঙা।
        ভেসো না আর, যেয়ো না আর ভেসে—
        চলো এখন, যাবে যে দূর দেশে।

এখন তোমায় তারার ক্ষীণালোকে
    চলতে হবে মাঠের পথে একা—
গিরি কানন পড়বে কি আর চোখে,
    কুটিরগুলি যাবে কি আর দেখা!

পিছন হতে দখিন-সমীরণে
ফুলের গন্ধ আসবে আঁধার বেয়ে,
অসময়ে হঠাৎ ক্ষণে ক্ষণে
আবেশেতে দিবে হৃদয় ছেয়ে।
চলো এবার, কোরো না আর দেরি—
মেঘের আভাস আকাশ-কোণে হেরি।

হাটের সাথে ঘাটের সাথে আজি
ব্যাবসা তোর বন্ধ হয়ে গেল।
এখন ঘরে আয় রে ফিরে মাঝি,
আঙিনাতে আসনখানি মেলো।
ভুলে যা রে দিনের আনাগোনা,
জ্বালতে হবে সারা রাতের আলো।
শ্রান্ত ওরে, রেখে দে জাল বোনা,
গুটিয়ে ফেলো সকল মন্দভালো।
ফিরিয়ে আনো ছড়িয়ে-পড়া মন—
সফল হোক সকল সমাপন।

বোলপুর
১০ বৈশাখ ১৩১৩

কোকিল

আজ বিকালে কোকিল ডাকে
শুনে মনে লাগে
বাংলাদেশে ছিলেম যেন
তিন-শো বছর আগে।
সে দিনের সে স্নিগ্ধ গভীর
গ্রামপথের মায়া
আমার চোখে ফেলেছে আজ
অশ্রুজলের ছায়া।

পল্লীখানি প্রাণে ভরা,
গোলায় ভরা ধান,
ঘাটে শুনি নারীর কণ্ঠে
হাসির কলতান।
সন্ধ্যাবেলায় ছাদের 'পরে
দখিন-হাওয়া বহে,
তারার আলোয় কারা ব'সে
পুরাণ-কথা কহে।

ফুল-বাগানের বেড়া হতে
হেনার গন্ধ ভাসে,
কদম-শাখার আড়াল থেকে
চাঁদটি উঠে আসে।
বধূ তখন বিনিয়ে খোঁপা
চোখে কাজল আঁকে,
মাঝে মাঝে বকুল-বনে
কোকিল কোথা ডাকে।

তিন-শো বছর কোথায় গেল,
তবু বুঝি নাকো
আজো কেন, ওরে কোকিল,
তেমনি সুরেই ডাকো।
ঘাটের সিঁড়ি ভেঙে গেছে,
ফেটেছে সেই ছাদ—
রূপকথা আজ কাহার মুখে
শুনবে সাঁঝের চাঁদ ?

শহর থেকে ঘণ্টা বাজে,
সময় নাই রে হায়—
ঘর্ঘরিয়া চলেছি আজ
কিসের ব্যর্থতায়।

আর কি বধূ, গাঁথ মালা,
চোখে কাজল আঁক' ?
পুরানো সেই দিনের সুরে
কোকিল কেন ডাক' ?

বোলপুর
২৯ বৈশাখ [১৩১৩]

দিঘি

জুড়ালো রে দিনের দাহ, ফুরালো সব কাজ,
কাটল সারা দিন।
সামনে আসে বাক্যহারা স্বপ্নভরা রাত
সকল-কর্ম-হীন।
তারি মাঝে দিঘির জলে যাবার বেলাটুকু,
একটুকু সময়,
সেই গোধূলি এল এখন, সূর্য ডুবুডুবু—
ঘরে কি মন রয়!

কূলে কূলে পূর্ণ নিটোল গভীর ঘন কালো
শীতল জলরাশি,
নিবিড় হয়ে নেমেছে তায় তীরের তরু হতে
সকল ছায়া আসি।
দিনের শেষে শেষ আলোটি পড়েছে ওই পারে
জলের কিনারায়,
পথে চলতে বধূ যেমন নয়ন রাঙা ক'রে
বাপের ঘরে চায়।

শেওলা-পিছল পৈঁঠা বেয়ে নামি জলের তলে
একটি একটি করে—

ডুবে যাবার সুখে আমার ঘটের মতো যেন
অঙ্গ উঠে ভরে।
ভেসে গেলেম আপন-মনে, ভেসে গেলেম পারে,
ফিরে এলেম ভেসে—
সাঁতার দিয়ে চলে গেলেম— চলে এলেম যেন
সকল-হারা দেশে।

ওগো বোবা, ওগো কালো স্তব্ধ সুগম্ভীর
গভীর ভয়ংকর,
তুমি নিবিড় নিশীথ-রাত্রি বন্দী হয়ে আছ—
মাটির পিঞ্জর।
পাশে তোমার ধুলার ধরা কাজের রঙ্গভূমি,
প্রাণের নিকেতন,
হঠাৎ থেমে তোমার 'পরে নত হয়ে প'ড়ে
দেখিছে দর্পণ।

তীরের কর্ম সেরে আমি গায়ের ধুলো নিয়ে
নামি তোমার মাঝে—
এ কোন্ অশ্রু-ভরা গীতি ছল্‌ছলিয়ে উঠে
কানের কাছে বাজে!
ছায়া-নিচোল দিয়ে ঢাকা মরণ-ভরা তব
বুকের আলিঙ্গন

আমায় নিল কেড়ে নিল, সকল বাঁধা হতে
কাড়িল মোর মন।

শিউলি-শাখে কোকিল ডাকে করুণ কাকলিতে
ক্লান্ত আশার ডাক।
ম্লান' ধূসর আকাশ দিয়ে দূরে কোথায় নীড়ে
উড়ে গেল কাক।
মর্মরিয়া মর্মরিয়া বাতাস গেল মরে
বেণুবনের তলে।
আকাশ যেন ঘনিয়ে এল ঘুমঘোরের মতো
দিঘির কালো জলে।

সন্ধ্যাবেলার প্রথম তারা উঠল গাছের আড়ে,
বাজল দূরে শাঁখ।
রন্ধ্রবিহীন অন্ধকারে পাখার শব্দ মেলে
গেল বকের ঝাঁক।
পথে কেবল জোনাক জ্বলে, নাইকো কোনো আলো
এলেম যবে ফিরে।
দিন ফুরালো, রাত্রি এল, কাটল মাঝের বেলা
দিঘির কালো নীরে।

শান্তিনিকেতন
২৭ বৈশাখ ১৩১৩

ঝড়

আকাশ ভেঙে বৃষ্টি পড়ে,
ঝড় এল রে আজ—
মেঘের ডাকে ডাক মিলিয়ে
বাজ্‌রে মৃদঙ বাজ।
আজকে তোরা কী গাবি গান,
কোন্ রাগিণীর সুরে!
কালো আকাশ নীল ছায়াতে
দিল যে বুক পূরে।

বৃষ্টিধারায় ঝাপসা মাঠে
ডাকছে ধেনুদল,
তালের তলে শিউরে ওঠে
বাঁধের কালো জল।
পোড়ো বাড়ির ভাঙা ভিতে
ওঠে হাওয়ার হাঁক,
শূন্য খেতের ও পার যেন
এ পারকে দেয় ডাক।

আমাকে আজ কে খুঁজেছে
পথের থেকে চেয়ে!

জলের বিন্দু পড়ছে রে তার
অলক বেয়ে বেয়ে।
মল্লারেতে মীড় মিলায়ে
বাজে আমার প্রাণ,
দুয়ার হতে কে ফিরেছে
না গেয়ে তার গান!

আয় গো তোরা ঘরেতে আয়,
বোস্ গো তোরা কাছে—
আজ যে আমার সমস্ত মন
আসন মেলে আছে।
জলে স্থলে শূন্যে হাওয়ায়
ছুটেছে আজ কী ও!
ঝড়ের 'পরে পরান আমার
উড়ায় উত্তরীয়।

আসবি তোরা কারা কারা
বৃষ্টিধারার স্রোতে
কোন্ সে পাগল পারাবারের
কোন্ পরপার হতে!
আসবি তোরা ভিজে বনের
কান্না নিয়ে সাথে—

আসবি তোরা গন্ধরাজের
গাঁথন নিয়ে হাতে।

ওরে, আজি বহু দূরের
বহু দিনের পানে
পাঁজর টুটে বেদনা মোর
ছুটেছে কোনখানে—
ফুরিয়ে যাওয়ার ছায়াবনে,
ভুলে যাওয়ার দেশে
সকল গড়া সকল ভাঙা
সকল গানের শেষে!

কাজল মেঘে ঘনিয়ে ওঠে
সজল ব্যাকুলতা,
এলোমেলো হাওয়ায় ওড়ে
এলোমেলো কথা।
দুলছে দূরে বনের শাখা,
বৃষ্টি পড়ে বেগে—
মেঘের ডাকে কোন অশান্ত
উঠিস জেগে জেগে!

কলিকাতা
১৮ জ্যৈষ্ঠ ১৩১৩

প্রতীক্ষা

আমি এখন সময় করেছি—
তোমার এবার সময় কখন হবে ?
সাঁঝের প্রদীপ সাজিয়ে ধরেছি—
শিখা তাহার জ্বালিয়ে দেবে কবে ?
নামিয়ে দিয়ে এসেছি সব বোঝা,
তরী আমার বেঁধে এলেম ঘাটে,
পথে পথে ছেড়েছি সব খোঁজা
কেনা-বেচা নানান হাটে হাটে।

সন্ধ্যাবেলায় যে মল্লিকা ফুটে
গন্ধ তারি কুঞ্জে উঠে জাগি,
ভরেছি জুঁই পদ্মপাতার পুটে
তোমার করপদ্মদলের লাগি।
রেখেছি আজ শান্ত শীতল ক'রে
অঙ্গন মোর চন্দনসৌরভে।
সেরেছি কাজ সারাটা দিন ধরে,
তোমার এবার সময় কখন হবে !

আজিকে চাঁদ উঠবে প্রথম রাতে
নদীর পারে নারিকেলের বনে,
দেবালয়ের বিজন আঙিনাতে
পড়বে আলো গাছের ছায়া-সনে।
দখিন-হাওয়া উঠবে হঠাৎ বেগে,
আসবে জোয়ার সঙ্গে তারি ছুটে—
বাঁধা তরী ঢেউয়ের দোলা লেগে
ঘাটের 'পরে মরবে মাথা কুটে।

জোয়ার যখন মিশিয়ে যাবে কূলে,
থম্‌থমিয়ে আসবে যখন জল,
বাতাস যখন পড়বে ঢুলে ঢুলে,
চন্দ্র যখন নামবে অস্তাচল,
শিথিল তনু তোমার ছোঁওয়া ঘুমে
চরণতলে পড়বে লুটে তবে—
বসে আছি শয়ন পাতি ভূমে,
তোমার এবার সময় হবে কবে।

কলিকাতা
১৭ বৈশাখ [১৩১৩]

গান শোনা

আমার এ গান শুনবে তুমি যদি
শোনাই কখন বলো !
ভরা চোখের মতো যখন নদী
করবে ছলোছলো,
ঘনিয়ে যখন আসবে মেঘের ভার
বহু কালের পরে,
না যেতে দিন সজল অন্ধকার
নামবে তোমার ঘরে,
যখন তোমার কাজ কিছু নেই হাতে
তবুও বেলা আছে,
সাথি তোমার আসত যারা রাতে
আসে নি কেউ কাছে,
তখন আমায় মনে পড়ে যদি,
গাইতে যদি বল—
নবমেঘের ছায়ায় যখন নদী
করবে ছলোছলো।

ম্লান' আলোয় দখিন-বাতায়নে
বসবে তুমি একা—
আমি গাব ব'সে ঘরের কোণে,
যাবে না মুখ দেখা।
ফুরাবে দিন, আঁধার ঘন হবে,
বৃষ্টি হবে শুরু,
উঠবে বেজে মৃদুগভীর রবে
মেঘের গুরুগুরু।
ভিজে পাতার গন্ধ আসবে ঘরে
ভিজে মাটির বাস,
মিলিয়ে যাবে বৃষ্টির ঝর্‌ঝরে
বনের নিশ্বাস।
বাদল-সাঁঝে আঁধার বাতায়নে
বসবে তুমি একা—
আমি গেয়ে যাব আপন-মনে,
যাবে না মুখ দেখা।

জলের ধারা ঝরবে দ্বিগুণ বেগে,
বাড়বে অন্ধকার,
নদীর ধারে বনের সঙ্গে মেঘে
ভেদ রবে না আর।

কাঁসর ঘণ্টা দূরে দেউল হতে
জলের শব্দে মিশে
আঁধার পথে ঝোড়ো হাওয়ার স্রোতে
ফিরবে দিশে দিশে।
শিরীষ-ফুলের গন্ধ থেকে থেকে
আসবে জলের ছাঁটে,
উচ্চরবে পাইক যাবে হেঁকে
গ্রামের শূন্য বাটে।
জলের ধারা ঝরবে বাঁশের বনে,
বাড়বে অন্ধকার—
গানের সাথে বাদলা রাতের সনে
ভেদ রবে না আর।

ও ঘর হতে যবে প্রদীপ জ্বেলে
আনবে আচম্বিত,
সেতারখানি মাটির 'পরে ফেলে
থামাব মোর গীত।
হঠাৎ যদি মুখ ফিরিয়ে তবে
চাহ আমার পানে
এক নিমিষে হয়তো বুঝে লবে
কী আছে মোর গানে।

নামায়ে মুখ নয়ন ক'রে নিচু
বাহির হয়ে যাব,
একলা ঘরে যদি কোনো-কিছু
আপন-মনে ভাব'।
থামায়ে গান আমি চলে গেলে
যদি আচম্বিত
বাদল-রাতে আঁধারে চোখ মেলে
শোন আমার গীত।

বোলপুর
১২ জ্যৈষ্ঠ ১৩১৩

জাগরণ

কৃষ্ণপক্ষে আধখানা চাঁদ
উঠল অনেক রাতে,
খানিক কালো খানিক আলো
পড়ল আঙিনাতে।
ওরে আমার নয়ন, আমার
নয়ন নিদ্রাহারা,
আকাশ-পানে চেয়ে চেয়ে
কত গুনবি তারা!

সাড়া কারো নাই রে, সবাই
ঘুমায় অকাতরে।
প্রদীপগুলি নিবে গেল
দুয়ার দেওয়া ঘরে।
তুই কেন আজ বেড়াস ফিরি
আলোয় অন্ধকারে?
তুই কেন আজ দেখিস চেয়ে
বনপথের পারে?

শব্দ কোথাও শুনতে কি পাস
মাঠে তেপান্তরে ?
মাটি কোথাও উঠছে কেঁপে
ঘোড়ার পদভরে ?
কোথাও ধুলো উড়ছে কি রে
কোনো আকাশ-কোণে ?
আগুন-শিখা যায় কি দেখা
দূরের আম্রবনে ?

সন্ধ্যাবেলা তুই কি কারো
লিখন পেয়েছিলি ?
বুকের কাছে লুকিয়ে রেখে
শান্তি হারাইলি ?
নাচে রে তাই রক্ত নাচে
সকল দেহ-মাঝে,
বাজে রে তাই কী কথা তোর
পাঁজর জুড়ে বাজে !

আজিকে এই খণ্ড চাঁদের
ক্ষীণ আলোকের 'পরে
ব্যাকুল হয়ে অশান্ত প্রাণ
আঘাত ক'রে মরে।

কী লুকিয়ে আছে ওরে,
কী রেখেছে ঢেকে—
কিসের কাঁপন কিসের আভাস
পাই যে থেকে থেকে !

ওরে কোথাও নাই রে হাওয়া,
স্তব্ধ বাঁশের শাখা—
বালুতটের পাশে নদী
কালির বর্ণে আঁকা।
বনের 'পরে চেপে আছে
কাহার অভিশাপ—
ধরণীতল মূর্ছা গেছে
লয়ে আপন তাপ।

ওরে হেথায় আনন্দ নেই,
পুরানো তোর বাড়ি।
ভাঙা দুয়ার বাদুড়কে ওই
দিয়েছে পথ ছাড়ি।
সন্ধ্যা হতে ঘুমিয়ে পড়ে
যে যেথা পায় স্থান—
জাগে না কেউ বীণা হাতে,
গাহে না কেউ গান।

হেথা কি তোর দুয়ারে কেউ
পৌঁছবে আজ রাতে—
এক হাতে তার ধ্বজা তুলে,
আলো আরেক হাতে ?
হঠাৎ কিসের চঞ্চলতা
ছুটে আসবে বেগে,
গ্রামের পথে পাখিরা সব
গেয়ে উঠবে জেগে।

উঠবে মৃদঙ্গ বেজে বেজে
গর্জি গুরু গুরু—
অঙ্গে হঠাৎ দেবে কাঁটা,
বক্ষ দুরু দুরু।
ওরে নিদ্রাবিহীন আঁখি,
ওরে শান্তিহারা,
আঁধার পথে চেয়ে চেয়ে
কার পেয়েছিস সাড়া !

বোলপুর
১৪ জ্যৈষ্ঠ ১৩১৩

হারাধন

বিধি যে দিন ক্ষান্ত দিলেন
    সৃষ্টি করার কাজে
সকল তারা উঠল ফুটে
    নীল আকাশের মাঝে।
নবীন সৃষ্টি সামনে রেখে
    সুরসভার তলে
ছায়াপথে দেব্‌তা সবাই
    বসেন দলে দলে।
গাহেন তাঁরা, ‘কী আনন্দ!
    একি পূর্ণ ছবি।
একি মন্ত্র, একি ছন্দ—
    গ্রহ চন্দ্র রবি!’

হেনকালে সভায় কে গো
    হঠাৎ বলি উঠে,
‘জ্যোতির মালায় একটি তারা
    কোথায় গেছে টুটে!’
ছিঁড়ে গেল বীণার তন্ত্রী,
    থেমে গেল গান—

হারা তারা কোথায় গেল
পড়িল সন্ধান।
সবাই বলে, 'সেই তারাতেই
স্বর্গ হত আলো—
সেই তারাটাই সবার বড়ো,
সবার চেয়ে ভালো।'

সে দিন হতে জগৎ আছে
সেই তারাটির খোঁজে—
তৃপ্তি নাহি দিনে, রাত্রে
চক্ষু নাহি বোজে।
সবাই বলে, 'সকল চেয়ে
তারেই পাওয়া চাই।'
সবাই বলে, 'সে গিয়েছে,
ভুবন কানা তাই।'
শুধু গভীর রাত্রিবেলায়
স্তব্ধ তারার দলে
'মিথ্যা খোঁজা, সবাই আছে'
নীরব হেসে বলে।

বোলপুর
১০ আষাঢ় ১৩১৩

চাঞ্চল্য

নিশ্বাস রুধে দু চক্ষু মুদে
তাপসের মতো যেন
স্তব্ধ ছিলি যে, ওরে বনভূমি,
চঞ্চল হলি কেন ?
হঠাৎ কেন রে দুলে ওঠে শাখা—
যাবে না ধরায় আর ধরে রাখা,
ঝট্‌পট্‌ ক'রে হানে যেন পাখা
খাঁচায় বনের পাখি।
ওরে আমলকী, ওরে কদম্ব,
কে তোদের গেল ডাকি !

'ওই যে ঈশানে উড়েছে নিশান,
বেজেছে বিষাণ বেগে—
আমার বরষা কালো বরষা যে
ছুটে আসে কালো মেঘে।'

ওরে নীলজল, অতল অটল
ভরা ছিলি কূলে কূলে,
হঠাৎ এমন শিহরি শিহরি
উঠিলি কেন রে দুলে ?
তালতরুছায়া করে টলোমল,
কেন কলোকল, কেন ছলোছল,
কী কথা বলিতে হলি চঞ্চল,
ফুটিতে চাহে না বাক্—
কাঁদিয়া হাসিয়া সাড়া দিতে চাস,
কার শুনেছিস ডাক !

'ওই যে আকাশে পুবের বাতাসে
উতলা উঠেছে জেগে—
আজি মোর বর মোর কালো ঝড়
ছুটে আসে কালো মেঘে।'

পরান আমার রুধিয়া দুয়ার
আপনার গৃহ-মাঝে
ছিলি এত দিন বিশ্রামহীন
কী জানি কত কী কাজে !

আজিকে হঠাৎ কী হল রে তোর—
ভেঙে যেতে চায় বুকের পাঁজর,
অকারণে বহে নয়নের লোর,
কোথা যেতে চাস ছুটে ?
কে রে সে পাগল ভাঙিল আগল,
কে দিল দুয়ার টুটে !

'জানি না তো আমি কোথা হতে নামি
কী ঝড়ে আঘাত লেগে
জীবন ভরিয়া মরণ হরিয়া
কে আসিছে কালো মেঘে।'

বোলপুর
১৩ আষাঢ় [১৩১৩]

প্রচ্ছন্ন

কোথা ছায়ার কোণে দাঁড়িয়ে তুমি কিসের প্রতীক্ষায়
কেন আছ সবার পিছে ?
যারা ধুলাপায়ে ধায় গো পথে, তোমায় ঠেলে যায়,
তারা তোমায় ভাবে মিছে।
আমি তোমার লাগি কুসুম তুলি, বসি তরুর মূলে
আমি সাজিয়ে রাখি ডালি—
ওগো, যে আসে সেই একটি-ছুটি নিয়ে যে যায় তুলে,
আমার সাজি হয় যে খালি।

ওগো সকাল গেল, বিকাল গেল, সন্ধ্যা হয়ে আসে,
চোখে লাগছে ঘুমঘোর।
সবাই ঘরের পানে যাবার বেলা আমায় দেখে হাসে,
মনে লজ্জা লাগে মোর।
আমি বসে আছি বসনখানি টেনে মুখের 'পরে
যেন ভিখারিনীর মতো—
কেহ শুধায় যদি 'কী চাও তুমি', থাকি নিরুত্তরে
করি ছুটি নয়ন নত।

আজি কোন্ লাজে বা বলব আমি তোমায় শুধু চাহি,
আমি বলব কেমন করে—
শুধু তোমারি পথ চেয়ে আমি রজনী দিন বাহি,
তুমি আসবে আমার তরে।
আমার দৈন্যখানি যত্নে রাখি, রাজৈশ্বর্যে তব
তারে দিব বিসর্জন—
ওগো, অভাগিনীর এ অভিমান কাহার কাছে কব,
তাহা রইল সংগোপন।

আমি সুদূর-পানে চেয়ে চেয়ে ভাবি আপন-মনে
হেথা তৃণে আসন মেলে—
তুমি হঠাৎ কখন আসবে হেথায় বিপুল আয়োজনে
তোমার সকল আলো জ্বেলে।
তোমার রথের ’পরে সোনার ধ্বজা ঝলবে ঝলোমল,
সাথে বাজবে বাঁশির তান—
তোমার প্রতাপ-ভরে বসুন্ধরা করবে টলোমল,
আমার উঠবে নেচে প্রাণ।

তখন পথের লোকে অবাক্ হয়ে সবাই চেয়ে রবে,
তুমি নেমে আসবে পথে।
হেসে দু হাত ধরে ধুলা হতে আমায় তুলে লবে
তুমি লবে তোমার রথে।

আমার ভূষণবিহীন মলিন বেশে ভিখারিনীর সাজে
তোমার দাঁড়াব বাম পাশে,
তখন লতার মতো কাঁপব আমি গর্বে সুখে লাজে
সকল বিশ্বের সকাশে।

ওগো, সময় বয়ে যাচ্ছে চলে, রয়েছি কান পেতে—
কোথা কই গো চাকার ধ্বনি!
তোমার এ পথ দিয়ে কত-না লোক গর্বে গেল মেতে
কতই জাগিয়ে রনরনি!
তবে তুমিই কি গো নীরব হয়ে রবে ছায়ার তলে—
তুমি রবে সবার শেষে—
হেথায় ভিখারিনীর লজ্জা কি গো ঝরবে নয়ন-জলে?
তারে রাখবে মলিন বেশে?

শান্তিনিকেতন
২ আষাঢ় ১৩১৩

অনুমান

পাছে   দেখি তুমি আস নি তাই
আধেক আঁখি মুদিয়ে চাই—
ভয়ে, চাই নে ফিরে।
আমি   দেখি যেন আপন-মনে
পথের শেষে দূরের বনে
আসছ তুমি ধীরে।
যেন   চিনতে পারি সেই অশান্ত
তোমার উত্তরীয়ের প্রান্ত
ওড়ে হাওয়ার 'পরে।
আমি   একলা বসে মনে গণি
শুনছি তোমার পদধ্বনি
মর্মরে মর্মরে।

ভোরে   নয়ন মেলে অরুণ-রাগে
যখন আমার প্রাণে জাগে
অকারণের হাসি,
যখন   নবীন তৃণে লতায় গাছে
কোন্ জোয়ারের স্রোতে নাচে
সবুজ সুধারাশি—

যখন নবমেঘের সজল ছায়া
যেন রে কার মিলন-মায়া
ঘনায় বিশ্ব জুড়ে,
যখন পুলকে নীল শৈল ঘেরি
বেজে ওঠে কাহার ভেরী,
ধ্বজা কাহার উড়ে—

তখন মিথ্যা সত্য কেই বা জানে,
সন্দেহ আর কেই বা মানে,
ভুল যদি হয় হোক—
ওগো, জানি না কি আমার হিয়া
কে ভুলালো পরশ দিয়া,
কে জুড়ালো চোখ!
সে কি তখন আমি ছিলেম একা?
কেউ কি মোরে দেয় নি দেখা?
কেউ আসে নাই পিছে?
তখন আড়াল হতে সহাস আঁখি
আমার মুখে চায় নি নাকি?
এ কি এমন মিছে?

বোলপুর
৪ আষাঢ় ১৩১৩

বর্ষাপ্রভাত

ওগো, এমন সোনার মায়াখানি
কে যে গড়েছে !
মেঘ টুটে আজ প্রভাত-আলো
ফুটে পড়েছে।
বাতাস কাহার সোহাগ মাগে,
গাছে-পালায় চমক লাগে,
হৃদয় আমার বিভাস রাগে
কী গান ধরেছে !

আজ বিশ্বদেবীর দ্বারের কাছে
কোন্ সে ভিখারি
ভোরের বেলা দাঁড়িয়েছিল
দু হাত বিথারি—
আঁজল ভ'রে সোনা দিতে
ছাপিয়ে পড়ে চারি ভিতে
লুটিয়ে গেল পৃথিবীতে,
একি নেহারি !

ওগো,　　পারিজাতের কুঞ্জবনে
স্বর্গপুরীতে
মৌমাছিরা লেগেছিল
মধু-চুরিতে।
আজ প্রভাতে একেবারে
ভেঙেছে চাক সুধার ভারে,
সোনার মধু লক্ষ ধারে
লাগে ঝুরিতে।

আজ　　সকাল হতেই খবর এল—
লক্ষ্মী একেলা
অরুণ-রাগে পাতবে আসন
প্রভাতবেলা।
শুনে দিগ্বিদিকে টুটে
আলোর পদ্ম উঠল ফুটে,
বিশ্বহৃদয়-মধুপ জুটে
করেছে মেলা।

ওকি　　সুরপুরীর পর্দাখানি
নীরবে খুলে
ইন্দ্রাণী আজ দাঁড়িয়ে আছেন
জানালা-মূলে !

কে জানে গো কী উল্লাসে
হেরেন ধরা মধুর হাসে,
আঁচলখানি নীলাকাশে
পড়েছে দুলে।

ওগো, কাহারে আজ জানাই আমি,
কী আছে ভাষা—
আকাশ-পানে চেয়ে আমার
মিটেছে আশা।
হৃদয় আমার গেছে ভেসে
চাই-নে-কিছু'র স্বর্গ শেষে,
ঘুচে গেছে এক নিমেষে
সকল পিপাসা।

বোলপুর
৭ আষাঢ় ১৩১৩

বর্ষাসন্ধ্যা

আমায়　　অমনি খুশি করে রাখো
কিছুই না দিয়ে—
শুধু তোমার বাহুর ডোরে
বাহু বাঁধিয়ে।
এমনি ধূসর মাঠের পারে
এমনি সাঁঝের অন্ধকারে
বাজাও আমার প্রাণের তারে
গভীর ঘা দিয়ে।
আমায়　　অমনি রাখো বন্দী ক'রে
কিছুই না দিয়ে।

আমি　　আপ্‌নাকে আজ বিছিয়ে দেব
কিছুই না করি—
দু হাত মেলে দিয়ে, তোমার
চরণ পাকড়ি।

আষাঢ়-রাতের সভায় তব
কোনো কথাই নাহি কব,
বুক দিয়ে সব চেপে লব
নিখিল আঁকড়ি।
আমি রাতের সাথে মিশিয়ে রব
কিছুই না করি।

আজ বাদল-হাওয়ায় কোথা রে জুঁই
গন্ধে মেতেছে!
লুপ্ত তারার মালা কে আজ
লুকিয়ে গেঁথেছে!
আজি নীরব অভিসারে
কে চলেছে আকাশ-পারে,
কে আজি এই অন্ধকারে
শয়ন পেতেছে!
আজ বাদল-হাওয়ায় জুঁই আপনার
গন্ধে মেতেছে।

ওগো, আজকে আমি সুখে রব
কিছুই না নিয়ে
আপন হতে আপন মনে
সুধা ছানিয়ে।

বনে হতে বনান্তরে
ঘন ধারায় বৃষ্টি ঝরে
নিদ্রাবিহীন নয়ন-'পরে
স্বপন বানিয়ে।
ওগো, আজকে পরান ভরে লব
কিছুই না নিয়ে।

রাত্রি
৯ আষাঢ় [১৩১৩]

সব-পেয়েছি'র দেশ

সব-পেয়েছি'র দেশে কারো
নাই রে কোঠাবাড়ি—
দুয়ার খোলা পড়ে আছে,
কোথায় গেল দ্বারী!
অশ্বশালায় অশ্ব কোথায়,
হস্তীশালায় হাতি!
স্ফটিকদীপে গন্ধতৈলে
জ্বালায় না কেউ বাতি।
রমণীরা মোতির সিঁথি
পরে না কেউ কেশে।
দেউলে নেই সোনার চূড়া
সব-পেয়েছি'র দেশে।

পথের ধারে ঘাস উঠেছে
গাছের ছায়াতলে,
স্বচ্ছতরল স্রোতের ধারা
পাশ দিয়ে তার চলে।
কুটিরেতে বেড়ার 'পরে
দোলে ঝুমকা-লতা,
সকাল হতে মৌমাছিদের
ব্যস্ত ব্যাকুলতা।

ভোরের বেলা পথিকেরা
কী কাজে যায় হেসে
সাঁঝে ফেরে বিনা-বেতন
সব-পেয়েছি'র দেশে।

আঙিনাতে দুপুর-বেলা
মৃদুকরুণ গেয়ে
বকুল-তলায় ছায়ায় বসে
চরকা কাটে মেয়ে।
মাঠে মাঠে ঢেউ দিয়েছে
নতুন কচি ধানে,
কিসের গন্ধ কাহার বাঁশি
হঠাৎ আসে প্রাণে!
নীল আকাশের হৃদয়খানি
সবুজ বনে মেশে—
যে চলে সেই গান গেয়ে যায়
সব-পেয়েছি'র দেশে!

সদাগরের নৌকা যত
চলে নদীর 'পরে,
হেথায় ঘাটে বাঁধে না কেউ
কেনা-বেচার তরে।

সৈন্যদলে উড়িয়ে ধ্বজা
কাঁপিয়ে চলে পথ,
হেথায় কভু নাহি থামে
মহারাজের রথ।
এক রজনীর তরে হেথা
দূরের পান্থ এসে
দেখতে না পায় কী আছে এই
সব-পেয়েছি'র দেশে।

নাইকো পথে ঠেলাঠেলি,
নাইকো হাটে গোল—
ওরে কবি, এইখানে তোর
কুটিরখানি তোল্‌।
ধুয়ে ফেল্‌ রে পথের ধুলো,
নামিয়ে দে রে বোঝা,
বেঁধে নে তোর সেতারখানা—
রেখে দে তোর খোঁজা।
পা ছড়িয়ে বোস্‌ রে হেথায়
সারা দিনের শেষে
তারায়-ভরা আকাশ-তলে
সব-পেয়েছি'র দেশে।

৯ আষাঢ় ১৩১৩

সার্থক নৈরাশ্য

তখন ছিল যে গভীর রাত্রিবেলা,
নিদ্রা ছিল না চোখের কোণে।
আষাঢ়-আঁধারে আকাশে মেঘের মেলা,
কোথাও বাতাস ছিল না বনে।
বিরাম ছিল না তপ্তশয়নতলে,
কাঙাল ছিল বসে মোর প্রাণে।
দু হাত বাড়ায়ে কী জানি কী কথা বলে,
কাঙাল চায় যে কারে কে জানে!

দিল আঁধারের সকল রন্ধ্র ভরি
তাহার ক্ষুব্ধ ক্ষুধিত ভাষা—
মনে হল যেন বর্ষার বিভাবরী
আজি হারালো রে সব আশা।
অনাথ জগতে যেন এক সুখ আছে,
তাও জগৎ খুঁজে না মেলে—
আঁধারে কখন সে এসে যায় গো পাছে
বুকে রেখেছে আগুন জ্বেলে।

'দাও দাও' বলে হাঁকিনু সুদূরে চেয়ে,
আমি ফুকারি ডাকিনু কারে
এমন সময়ে অরুণতরণী বেয়ে
প্রভাত নামিল গগনপারে।

পেয়েছি পেয়েছি, নিবাও নিশার বাতি—
আমি কিছুই চাহি নে আর।
ওগো নিষ্ঠুর শূন্য নীরব রাতি,
তোমায় করি গো নমস্কার।
বাঁচালে, বাঁচালে— বধির আঁধার তব
আমায় পৌঁছিয়া দিল কূলে।
বঞ্চিত করি যা দিয়েছ কারে কব,
আমায় জগতে দিয়েছ তুলে।

ধন্য প্রভাত রবি,
আমার লহো গো নমস্কার।
ধন্য মধুর বায়ু,
তোমায় নমি হে বারম্বার।
ওগো প্রভাতের পাখি,
তোমার কলনির্মল স্বরে
আমার প্রণাম লয়ে
বিছাও দূর গগনের 'পরে।

ধন্য ধরার মাটি,
জগতে ধন্য জীবের মেলা।
ধূলায় নমিয়া মাথা
ধন্য আমি এ প্রভাতবেলা।

কলিকাতা
১৯ আষাঢ় ১৩১৩

প্রার্থনা

আমি বিকাব না কিছুতে আর
আপ্‌নারে।
আমি দাঁড়াতে চাই সভার তলে
সবার সাথে এক সারে।
সকাল-বেলার আলোর মাঝে
মলিন যেন না হই লাজে,
আলো যেন পশিতে পায়
মনের মধ্যে একবারে।
বিকাব না, বিকাব না
আপ্‌নারে।

আমি বিশ্ব-সাথে রব সহজ
বিশ্বাসে।
আমি আকাশ হতে বাতাস নেব
প্রাণের মধ্যে নিশ্বাসে।

পেয়ে ধরার মাটির স্নেহ
পুণ্য হবে সর্ব দেহ,
গাছের শাখা উঠবে দুলে
আমার মনের উল্লাসে।
বিশ্বে রব সহজ সুখে
বিশ্বাসে।

আমি সবায় দেখে খুশি হব
অন্তরে।
কিছু বেসুর যেন বাজে না আর
আমার বীণাযন্তরে।
যাহাই আছে নয়ন ভরি
সবই যেন গ্রহণ করি,
চিত্তে নামে আকাশ-গলা
আনন্দিত মন্ত্র রে।
সবায় দেখে তৃপ্ত রব
অন্তরে।

কলিকাতা
২০ আষাঢ় ১৩১৩

খেয়া

তুমি এ পার ও পার কর কে গো,
ওগো খেয়ার নেয়ে!
আমি ঘরের দ্বারে বসে বসে
দেখি যে তাই চেয়ে,
ওগো খেয়ার নেয়ে!
ভাঙিলে হাট দলে দলে
সবাই যবে ঘাটে চলে
আমি তখন মনে করি
আমিও যাই ধেয়ে,
ওগো খেয়ার নেয়ে!

তুমি সন্ধ্যাবেলা ও পার-পানে
তরণী যাও বেয়ে।
দেখে মন আমার কেমন সুরে
ওঠে যে গান গেয়ে,
ওগো খেয়ার নেয়ে!

কালো জলের কলোকলে
আঁখি আমার ছলোছলে,
ও পার হতে সোনার আভা
পরান ফেলে ছেয়ে,
ওগো খেয়ার নেয়ে!

দেখি তোমার মুখে কথাটি নেই,
ওগো খেয়ার নেয়ে!
কী যে তোমার চোখে লেখা আছে
দেখি যে তাই চেয়ে,
ওগো খেয়ার নেয়ে!
আমার মুখে ক্ষণতরে
যদি তোমার আঁখি পড়ে
আমি তখন মনে করি
আমিও যাই ধেয়ে,
ওগো খেয়ার নেয়ে!

১৫ শ্রাবণ ১৩১২

খেয়া ১৩১৩, শ্রাবণে (?) প্রকাশিত। প্রথম সংস্করণে বিভিন্ন রচনার স্থান-কাল নির্দেশ করা হয় নাই। কিছু কাল হইল বিভিন্ন পাণ্ডুলিপি হইতে অধিকাংশ রচনারই স্থান-কাল জানা গিয়াছে ও এই গ্রন্থে যথাস্থানে সংকলন করিয়া দেওয়া সম্ভব হইয়াছে। ঘাটের পথে, দুঃখমূর্তি, মুক্তিপাশ, মেঘ— এই কয়টির রচনাকাল অজ্ঞাত; বন্ধনী-মধ্যে, রবীন্দ্র-সম্পাদিত বঙ্গদর্শন পত্রিকায় প্রথম তিনটি কবিতার প্রকাশের কাল দেওয়া হইল।

'আমার ধর্ম' প্রবন্ধে প্রসঙ্গক্রমে রবীন্দ্রনাথ খেয়ার কোনো কোনো কবিতার ব্যাখ্যা করিয়াছেন—

খেয়াতে 'আগমন' বলে যে কবিতা আছে সে কবিতায় যে মহারাজ এলেন তিনি কে? তিনি যে অশান্তি। সবাই রাত্রে দুয়ার বন্ধ করে শান্তিতে ঘুমিয়ে ছিল, কেউ মনে করে নি তিনি আসবেন। যদিও থেকে থেকে দ্বারে আঘাত লেগেছিল, যদিও মেঘগর্জনের মতো ক্ষণে ক্ষণে তাঁর রথচক্রের ঘর্ঘরধ্বনি স্বপ্নের মধ্যেও শোনা গিয়েছিল, তবু কেউ বিশ্বাস করতে চাচ্ছিল না যে তিনি আসছেন— পাছে তাদের আরামে ব্যাঘাত ঘটে। কিন্তু দ্বার ভেঙে গেল, এলেন রাজা।

ঐ খেয়াতে 'দান' বলে একটা কবিতা আছে। তার বিষয়টি এই যে, ফুলের মালা চেয়েছিলুম, কিন্তু কী পেলুম!—

এ তো মালা নয় গো, এ যে
তোমার তরবারি!

এমন যে দান এ পেয়ে কি আর শান্তিতে থাকবার জো আছে! শান্তি যে বন্ধন, যদি তাকে অশান্তির ভিতর দিয়ে না পাওয়া যায়।

—সবুজপত্র। আশ্বিন-কার্তিক ১৩২৪

'অনাবশ্যক' কবিতা সম্বন্ধে চারুচন্দ্র বন্দ্যোপাধ্যায়কে কোনো-একটি পত্রে (৪ অক্টোবর ১৯৩৩) রবীন্দ্রনাথ লেখেন—

খেয়ার 'অনাবশ্যক' কবিতার মধ্যে কোনো প্রচ্ছন্ন অর্থ আছে বলে মনে করি নে। আমাদের ক্ষুধার জন্যে যা অত্যাবশ্যক তার কতই অপ্রয়োজনে ফেলাছড়া যায় জীবনের ভোজে, যে ভোজ উদাসীনের উদ্দেশে। আমাদের অনেক দান উৎসর্গ করি তার কাছে যার তাতে দৃষ্টি নেই। সেই অনাবশ্যক নিবেদনে আনন্দও পেয়ে থাকি; অথচ বঞ্চিত হয় সে, যে একান্ত আগ্রহ নিয়ে হাত পেতে মুখ চেয়ে দাঁড়িয়ে আছে। চারি দিকে প্রতিদিন দেখতে পাচ্ছি— সংসারে যেখানে অভাব সত্য সেখান থেকে নৈবেদ্য প্রচুর পরিমাণেই বিক্ষিপ্ত হয় সেই দিকে যেখানে তার জন্যে প্রত্যাশা নেই, ক্ষুধা নেই।

—

খেয়া কাব্যের প্রথম কবিতা 'শেষ খেয়া'র কয়েকটি একদল (one syllable) শব্দের সূচনায় স্বরের দীর্ঘ উচ্চারণ প্রত্যাশিত, ইহা উল্লেখযোগ্য মনে হয়। প্রত্যেক স্তবকের ধুয়ায় 'আ—য়' এবং অন্তিম স্তবকের পঞ্চম ও ষষ্ঠ ছত্রে 'বা—র' 'আ—র' 'যা—র' এবং 'জ—ল' উচ্চারণ করিলেই ছন্দোমাধুর্য পরিস্ফুট হইবে।

—

চিত্র॥ শ্রীসমীরচন্দ্র মজুমদারের সৌজন্যে প্রাপ্ত পাণ্ডুলিপির পৃষ্ঠা। সম্ভবত ইহাতে 'প্রভাতে' কবিতার মূল প্রেরণার সন্ধান মিলিবে; ১৩০৯ সনের ৭ হইতে ১১ পৌষের মধ্যে ইহার রচনা। চিত্রের বর্জিত অংশ দ্রষ্টব্য।

খেয়ার কবিতাগুলি কবিতা রচনার স্থান-কাল সম্পর্কে নূতন তথ্য সংরক্ষিত রবীন্দ্র-পাণ্ডুলিপি হইতে পরে আবিষ্কৃত ও বর্তমান রবীন্দ্র-রচনাবলীতে সন্নিবেশিত। সম্প্রতি যে তারিখগুলি পাওয়া গিয়াছে * তাহা এই—

ঘাটের পথ : ওরা চলেছে দিঘির ধারে।

? কলিকাতা, ৭ শ্রাবণ ১৩১২ ? অব্যবহিত পূর্বে ?

দুঃখমূর্তি : দুখের বেশে এসেছ ব'লে। কলিকাতা, ৭ শ্রাবণ ১৩১২

মুক্তিপাশ : ওগো নিশীথে কখন। কলিকাতা, ৭ শ্রাবণ ১৩১২

খেয়ার যে কবিতাগুলি সাময়িক পত্রে প্রকাশ হইতে দেখা যায়, সাময়িক পত্রের পৃষ্ঠাঙ্ক-সহ তাহার একটি তালিকা এ স্থলে দেওয়া যায়—

শেষ খেয়া	বঙ্গদর্শন। আষাঢ় ১৩১২।১৪২
ঘাটের পথ	বঙ্গদর্শন। ভাদ্র ১৩১২।১৯৯
শুভক্ষণ	বঙ্গদর্শন। অগ্রহায়ণ ১৩১২।৩৮৩
আগমন	বঙ্গদর্শন। আশ্বিন ১৩১২।২৬৭
দুঃখমূর্তি	বঙ্গদর্শন। মাঘ ১৩১২।৪৮৮
মুক্তিপাশ	বঙ্গদর্শন। পৌষ ১৩১২।৪৪৩
দান	বঙ্গদর্শন। অগ্রহায়ণ ১৩১২।৩৯৪
বালিকাবধূ	বঙ্গদর্শন। মাঘ ১৩১২।৫০৫
অনাহত	বঙ্গদর্শন। ফাল্গুন ১৩১২।৫৪২
লীলা	বঙ্গদর্শন। ফাল্গুন ১৩১২।৫৩২
মেঘ [ভারতীর খেয়াল]	ভারতী। বৈশাখ ১৩১২।৮০
বন্দী	ভাণ্ডার। জ্যৈষ্ঠ ১৩১৩
সমাপ্তি	বঙ্গদর্শন। বৈশাখ ১৩১৩।৪৮
কোকিল	ভাণ্ডার। আষাঢ় ১৩১৩
সবপেয়েছির দেশ	ভাণ্ডার। শ্রাবণ-ভাদ্র ১৩১৩
খেয়া	বঙ্গদর্শন। জ্যৈষ্ঠ ১৩১৩।৮৯

খেয়ার 'বিকাশ' কবিতায় তারিখ ছাপা হয় '২৪ মাঘ' অথচ রবীন্দ্র-পাণ্ডুলিপিতে ঐ তারিখ লিখিয়াই সংশোধন দেখি : ২৫ মাঘ। খেয়ার কয়খানি রবীন্দ্র-পাণ্ডুলিপি সম্পর্কে বিস্তারিত ভাবে আলোচনা হয় ১৩৭৮ বৈশাখ-আষাঢ়ের বিশ্বভারতী পত্রিকায়, পৃ ৩৭১-৮৮।

* শান্তিনিকেতন-রবীন্দ্রভবনে সংরক্ষিত খুচরা রবীন্দ্র-পাণ্ডুলিপি হইতে